Entre os atos

VIRGINIA WOOLF

Entre os atos

TRADUÇÃO
LYA LUFT

SÃO PAULO, 2023

Entre os atos
Between the Acts by Virginia Woolf
Copyright da tradução © 2007 by Lya Luft
Copyright © 2023 by Novo Século Editora Ltda.

EDITOR: Luiz Vasconcelos
GERENTE EDITORIAL: Letícia Teófilo
PRODUÇÃO EDITORIAL: Fernanda Felix
REVISÃO: Gabriel Kwak • Fernanda Guerriero Antunes
Daniela Georgeto • Elisabete Franczak Branco
PROJETO GRÁFICO E DIAGRAMAÇÃO: João Paulo Putini
ILUSTRAÇÃO DE CAPA: Bruno Novelli
COMPOSIÇÃO DE CAPA: Lucas Luan Durães

Texto de acordo com as normas do Novo Acordo Ortográfico da Língua Portuguesa (1990), em vigor desde 1º de janeiro de 2009.

Dados Internacionais de Catalogação na Publicação (CIP)
(Câmara Brasileira do Livro, SP, Brasil)

Woolf, Virginia
  Entre os atos / Virginia Woolf ; tradução de Lya Luft. -- Barueri, SP : Novo Século Editora, 2023.
  160 p.

ISBN 978-65-5561-507-4
Título original: Between the Acts

1. Ficção inglesa I. Título II. Luft, Lya

23-0565   CDD 823

Índice para catálogo sistemático:
1. Literatura inglesa

Alameda Araguaia, 2190 – Bloco A – 11º andar – Conjunto 1111
CEP 06455-000 – Alphaville Industrial, Barueri – SP – Brasil
Tel.: (11) 3699-7107 | Fax: (11) 3699-7323
www.gruponovoseculo.com.br | atendimento@gruponovoseculo.com.br

Nota

O manuscrito deste livro estava completo, mas não tinha recebido a revisão final quando Virginia Woolf morreu. Creio que ela não faria nenhuma alteração importante ou substancial, embora, provavelmente, ainda fosse proceder a uma série de pequenas correções, ou revisões, antes de entregar as provas finais da obra.

Leonard Woolf

Era uma noite de verão e, na grande sala com janelas abertas para o jardim, eles conversavam sobre a fossa sanitária. O Conselho do Condado prometera trazer água até a aldeia, mas não o fizera.

A sra. Haines, esposa do fazendeiro, mulher com cara de gansa, olhos esbugalhados como se vissem alguma coisa sendo tragada numa calha, disse em tom afetado:

— Que assunto para se discutir numa noite como esta!

Depois fez-se silêncio; uma vaca tossiu, e isso levou a sra. Haines a comentar como era estranho que em criança nunca tivesse sentido medo de vacas, só de cavalos. Mas era porque, quando pequena, ainda no carrinho, um enorme cavalo de tração passara a uma polegada do seu rosto. E contou ao velho da poltrona que sua família vivia havia vários séculos perto de Liskeard. As sepulturas no cemitério provavam isso.

Um pássaro trinou no jardim.

— Um rouxinol? — indagou a sra. Haines. Não, rouxinóis não apareciam ali, tão ao norte. Era um pássaro diurno, gorjeando alegre por causa da substância, da suculência do dia, dos vermes, dos caracóis, dos grãos de areia. Talvez até cantasse dormindo.

O velho na poltrona – sr. Oliver, funcionário aposentado da Administração Civil da Índia – disse que, se ouvira bem, o local escolhido para a fossa sanitária se achava na estrada romana. De avião, comentou ele, ainda se podiam ver as nítidas cicatrizes deixadas pelos bretões, pelos romanos, pela mansão senhorial do período elisabetano e pelo arado, quando se havia trabalhado na colina a fim de cultivar trigo durante as guerras napoleônicas.

– Mas o senhor não se recorda... – começou a sra. Haines.

Não, não se recordava. Contudo, lembrava-se de... e ia dizer-lhe do que se lembrava, quando se ouviu um som do lado de fora, e entrou Isa, mulher do seu filho, o cabelo em tranças; usava um robe estampado com pavões esmaecidos. Entrou como um cisne que nada resoluto; depois deteve-se; surpreendeu-se por ver gente ali e as luzes todas acesas. Desculpou-se, dizendo que estivera cuidando do filho pequeno, adoentado. Sobre o que conversavam?

– Discutíamos sobre a fossa – disse o sr. Oliver.

– Que assunto para se discutir numa noite como esta! – tornou a exclamar a sra. Haines.

Inclinando a cabeça na direção do fazendeiro, Rupert Haines, Isa imaginou o que teria ele dito sobre a fossa, ou sobre qualquer outra coisa. Encontrara-o num bazar de caridade, e depois numa partida de tênis. Ele lhe entregara uma xícara e uma raquete – nada mais. Contudo, no seu rosto devastado ela lia o mistério; e, no seu silêncio, adivinhava paixão. Percebera isso durante a partida de tênis e no bazar de caridade. Agora, no terceiro encontro, sentia-o mais intensamente.

– Recordo-me de minha mãe... – interrompeu o velho. Lembrava-se de que ela fora muito robusta; sempre mantinha a caixinha de chá trancada a chave; no entanto, naquela mesma sala ela lhe dera um volume de Byron. Havia mais de sessenta anos sua mãe lhe dera as obras de Byron, naquele mesmo aposento, disse-lhes o velho. Depois, fez uma pausa e citou:

Ela avança, bela como a noite.

E ainda:
Não andará mais ao léu sob o luar.
Isa ergueu a cabeça. As palavras formavam dois círculos perfeitos que, como a dois cisnes, faziam flutuar torrente abaixo a ela e a Haines. O alvo peito dele, porém, mostrava nódoas de algas sujas; e também ela, com as patas espalmadas, estava enredada e presa a seu marido, o corretor. Oscilou, sentada na banqueta triangular, as escuras tranças pendentes, o corpo com uma almofada revestida pelo robe fanado.
A sra. Haines percebia a emoção que os circundava, excluindo-a. Aguardou, como alguém que espera a música do órgão extinguir-se antes de sair da igreja. No carro, quando voltasse para casa, para a *villa vermelha* entre os trigais, ela destruiria essa emoção como um tordo arranca as asas de uma borboleta. Deixou que se passassem dez segundos e ergueu-se; fez uma pausa e depois, como se ouvisse terminar o último acorde do órgão, estendeu a mão para a sra. Giles Oliver.
Contudo, embora devesse ter-se levantado no momento em que a sra. Haines se ergueu, Isa permaneceu sentada. A sra. Haines fitou-a com seus olhos de gansa e gorgolejou:
– Por favor, sra. Giles Oliver, tenha a bondade de notar que eu existo...
E Isa foi obrigada a fazê-lo, erguendo-se finalmente da cadeira, as tranças caindo em seus ombros.

***

À luz de uma madrugada de verão, Pointz Hall era uma casa de tamanho regular. Não aparecia nos guias turísticos: simples demais para tanto. Sentia, porém, vontade de viver nessa casa esbranquiçada, de telhado cinza, uma ala saliente projetando-se em ângulo reto, mal localizada numa baixada, na planície, com uma fímbria de árvores subindo pela encosta, de modo que a fumaça das chaminés se enroscava nos ninhos das gralhas. Passando de carro, as pessoas comentavam:

– Será que algum dia a venderão?

E ao motorista:

– Quem mora aí?

O motorista não sabia. Os Oliver, que a haviam comprado fazia mais de um século, não possuíam nenhum parentesco com os Waring, os Elvey, os Mannering ou os Burnet – as famílias antigas que, relacionadas entre si pelos casamentos, jaziam entrelaçadas na morte, como raízes de hera ao pé dos muros do cemitério.

Os Oliver moravam ali havia pouco mais de cento e vinte anos. No entanto, subindo a escadaria principal havia outra escada, mais simples, para os criados – via-se um retrato. A meio caminho da escadaria, vislumbrava-se uma cascata de brocado amarelo e, chegando ao topo, descobria-se um pequeno rosto empoado, sob um alto penteado entremeado de pérolas: certamente uma ancestral. Seis ou sete quartos de dormir davam para o corredor. O mordomo fora soldado e casara-se com a criada da senhora; sob uma redoma de vidro, descansava o relógio que interceptara uma bala no campo de batalha de Waterloo.

Era de manhã cedo. Havia orvalho sobre a relva. O relógio da igreja bateu oito vezes. A sra. Swithin afastou a cortina de seu quarto de dormir – o desbotado *chintz* branco que, visto de fora, formava um agradável contraste com a janela de esquadrias verdes. Lá estava a sra. Swithin, com suas velhas mãos no ferrolho, abrindo a janela bruscamente: a irmã casada e viúva do velho Oliver. Sempre desejara possuir uma casa própria; talvez em Kensington, ou em Kew, de modo que pudesse gozar da vantagem dos jardins. Mas ficava ali durante todo o verão e, quando o inverno escorria pelas janelas, entupindo as calhas com folhas mortas, ela dizia:

– Bart, por que construíram esta casa na baixada, de frente para o norte?

O irmão respondia:

– Obviamente para fugir das intempéries. Não foram precisos quatro cavalos para arrastar a carruagem da família através da lama? Depois, ele lhe contava a famosa história do grande inverno do século XVIII, quando a neve bloqueara a casa por um mês inteiro. E as árvores haviam tombado. Por isso, todos os anos, quando o inverno se aproximava, a sra. Swithin se retirava para Hastings.

Agora, porém, era verão. Os pássaros haviam-na despertado. Como cantavam! – atacando a madrugada assim como uma porção de meninos-cantores atacam uma torta gelada. Obrigada a escutar, estendera a mão para sua leitura favorita – um compêndio de História – e gastara as horas, entre as três e as cinco, pensando nos bosques de rododendros em Piccadilly, quando o continente inteiro, conforme ela entendia, ainda não dividido por um canal, era um só, habitado por monstros com corpo de elefante, pescoço de foca, erguendo-se, contorcendo-se lentamente e, supunha ela, latindo; o iguanodonte, o mamute e o mastodonte, dos quais, presumivelmente, descendemos, refletia, abrindo bruscamente a janela.

Levou cinco segundos no tempo real, mas muito mais no tempo imaginário, para distinguir Grace, que chegava com a louça azul sobre uma bandeja, do monstro grunhidor coberto de couro, que, quando a porta se abriu, se achava na iminência de derrubar uma árvore na penumbra verde, cheia de vapor, da floresta primitiva. Naturalmente, sobressaltou-se quando Grace depôs a bandeja e disse:

– Bom dia, madame. – E pensou: *Ela é doida*, ao sentir pousar em seu rosto aquele olhar vago, dirigido em parte à fera no charco, em parte à criada de vestido estampado e avental branco.

– Como cantam esses pássaros! – comentou a sra. Swithin.

A janela estava aberta; os pássaros cantavam de fato. Um tordo gracioso saltitou na relva; em seu bico, enroscava-se uma espiral de borracha rosada. Tentada por essa visão a prosseguir na reconstrução do passado, a sra. Swithin fez uma pausa; era dada a enriquecer o presente com voos diretos para o passado ou o futuro, ou então em diagonal, através de corredores e alamedas; lembrou-se, contudo, de sua mãe – sua mãe censurando-a naquele mesmo aposento:

– Lucy, não fique aí de boca aberta, ou o vento mudará de direção...

Quantas vezes a mãe a repreendera naquele mesmo aposento, "só que num mundo totalmente diverso", observaria seu irmão. Então, sentou-se para o chá matinal, como qualquer outra velha dama de nariz grande, faces magras, anel no dedo e todos os enfeites de uma velhice um tanto consumida, embora ainda vaidosa, incluindo, no caso dela, um crucifixo de ouro rebrilhando sobre o peito.

Depois do café da manhã, as duas babás empurravam o carrinho ao longo do terraço; enquanto o empurravam, conversavam – não trocando bolinhas de informação ou passando ideias de uma para outra, mas rolando as palavras na boca como confeitos, que, tornando-se cada vez mais tênues e translúcidos, soltavam o seu cor-de-rosa, o seu verde, a sua doçura. Naquela manhã, essa doçura era:

"Como a cozinheira ralhou com o jardineiro por causa dos aspargos; como, quando ela tocou a campainha, eu disse: 'Que belo conjunto; com a blusa combinando'"; e o assunto voltava-se para certo rapaz, enquanto ambas andavam pelo terraço, rolando confeitos na boca e empurrando o carrinho de bebê.

Era lamentável que o homem que construíra Pointz Hall houvesse enfiado a casa numa baixada, quando logo por trás do jardim e da horta ficava aquele trecho de terras altas. A natureza oferecera o local adequado para uma casa; o homem, porém, construíra a casa num buraco. A natureza fornecera um trecho de turfa plana, com meia milha de extensão, que de repente baixava sobre o lago dos nenúfares. O terraço era bastante amplo para abrigar toda a sombra de uma das grandes árvores, na hora em que essa sombra mais se alongava. Ali se podia passear para lá e para cá, para lá e para cá, sempre na sombra. Duas ou três árvores cresciam juntas; depois, abriam-se intervalos entre elas. Suas raízes rompiam a turfa e, entre aqueles velhos ossos, havia cascatas verdes, almofadões de relva, onde, na primavera, cresciam violetas e, no verão, roxas orquídeas silvestres.

Amy falava algo sobre o rapaz, quando, com a mão no carrinho de bebê, Mabel voltou-se vivamente, engolindo o confeito:
– Pare já de cavar essa terra – disse com aspereza. – Venha, George!
O menino atrasara-se e remexia na terra. Depois, Caro, o bebê, estendeu o punho por cima do cobertor e jogou fora o ursinho de pelúcia. Amy teve de parar. George ainda cavava. Uma flor reluzia entre os ângulos das raízes. Uma a uma, as membranas haviam sido arrancadas. A flor reluzia em meio a um amarelo suave; o fulgor, atenuado sob uma penugem de veludo, enchia de luz as cavernas atrás dos olhos. Toda aquela treva interior transformou-se num aposento iluminado pelo brilho amarelo cheirando a folhas e terra. E a árvore se achava além da flor; a relva, a árvore e a flor formavam um todo. De joelhos, o menino cavava e mantinha a flor inteira. Depois, ouviu-se um rosnado e um bafo ardente, e um tufo de cabelos grisalhos e hirsutos interpôs-se entre ele e a flor. O menino ficou de pé, desequilibrando-se por causa do susto, e viu, vindo em sua direção, um monstro terrível, com um focinho pontudo, sem olhos, movendo-se sobre as pernas e brandindo os braços.

– Bom dia, senhor – gritou uma voz cavernosa através de um bico de papel.
O velho saltara sobre ele, saindo de seu esconderijo atrás da árvore.
– Diga bom-dia, George; diga "Bom dia, vovô" – disse Mabel, empurrando-o em direção ao homem. Mas George permaneceu ali, parado, boquiaberto. George permaneceu ali, parado, arregalando os olhos. Depois, o sr. Oliver amassou o jornal que

enrolara em forma de bico e mostrou-se tal qual era. Um velho muito alto, olhos brilhantes, faces enrugadas, o crânio sem nenhum cabelo. Virou-se e berrou:
– Deite-se! Deite-se, animal!

George virou-se; as babás viraram-se, segurando o ursinho de pelúcia; todos se viraram para ver Sohrab, o cão afegane, que não cessava de pular por entre as flores.

– Deite-se! – berrava o velho, como se comandasse um regimento militar. As babás ficaram impressionadas diante de um homem tão idoso ainda capaz de gritar e fazer-se obedecer por um bicho enorme como aquele. Furtivo, como quem pede desculpas, o cão afegane voltou. E quando se deitou aos pés do velho, uma corda envolveu seu pescoço, a coleira que o velho Oliver sempre trazia consigo.

– Animal selvagem... animal perverso – resmungava este, curvado. George só olhava para o cão. Os flancos peludos inflavam e desinflavam; as narinas espumavam. O menino rompeu em pranto.

O velho Oliver ergueu-se, as veias inchadas, as faces coradas; estava zangado. O pequeno truque com o jornal não funcionara. O menino era um chorão. O velho balançou a cabeça e prosseguiu seu passeio, alisando o jornal amassado e resmungando, enquanto tentava encontrar a linha que estivera lendo:

– Um menino chorão... um chorão.

Mas a brisa fez a grande folha de papel dobrar e, por cima de suas margens, ele viu a paisagem – os campos ondulantes, as urzes e os bosques. Emoldurados, formariam um quadro. Se fosse pintor, teria armado seu cavalete exatamente ali, onde, limitado pelas árvores, o campo parecia um quadro. Depois, a brisa amainou.

– O sr. Daladier – disse ele, encontrando na coluna o ponto em que interrompera a leitura – conseguiu sustar a queda do franco...

* * *

A sra. Giles Oliver passava o pente pelo cabelo espesso, que, após muito refletir, jamais cortara curto nem ondulara; erguia a escova engastada em prata maciça, um presente de casamento, que servia para impressionar camareiras em hotéis. Ergueu-a e deteve-se diante do espelho triplo, de modo que podia ver três versões de seu rosto um pouco pesado, mas belo; via também, fora do vidro, uma faixa do terraço, a relva e copas de árvores. Dentro do vidro, em seus próprios olhos, podia ver o que, durante a noite, sentira pelo devastado, silencioso, romântico fazendeiro. "Apaixonada", lia-se em seus olhos. Mas em torno dela, no lavatório, no toucador, entre as caixas de prata e as escovas de dente, estava o outro amor; o amor pelo marido, o corretor – "pai dos meus filhos", acrescentou, caindo no clichê convenientemente fornecido pela literatura de ficção. O amor interior achava-se nos olhos; o exterior, sobre o toucador. Mas que emoção se agitou nela quando, por cima do espelho, do lado de fora, viu chegar o carrinho de bebê através do gramado, as duas babás e, mais atrás, seu filhinho George, retardando o passo?

Bateu na janela com a escova de cabelos engastada em prata. Estavam longe demais para escutar. Em seus ouvidos pairavam o rumor do arvoredo, o chilrear dos pássaros; absorviam-nos outros fatos da vida do jardim, inaudíveis, invisíveis para ela no quarto de dormir. Isolada numa ilha verde, cercada de galantos, recoberta por seda pregueada, flutuava debaixo da sua janela aquela ilha de inocência. Só George vinha mais atrás.

Ela voltou novamente os olhos para o espelho. Devia estar "apaixonada"; pois a presença do corpo dele na sala, na noite passada, a perturbara, e as palavras que ele pronunciara, passando-lhe uma xícara de chá, alcançando-lhe uma raquete de tênis, prendiam-se no interior dela, tensas como um fio de arame que vibra, e freme, e ressoa... Procurou no espelho o termo adequado para as vibrações infinitamente rápidas da hélice de um avião que vira certa manhã em Croydon. A hélice girara cada vez mais depressa, zumbindo, tornando-se enfim uma única pá, e o avião afastara-se para longe, cada vez mais longe...

– Não sabemos onde, nem nos importamos – cantarolou. – Voamos em disparada pelo ar em brasa, no silêncio do verão... A rima tinha de ser em "amos". Baixou a escova e ergueu o fone.

– Três, quatro, oito, Pyecombe – disse. – Sra. Oliver falando... Que peixe o senhor tem esta manhã? Bacalhau? Hipoglosso? Linguado? Solha?

– Perdemos lá o que aqui nos prende – murmurou depois. – Filés de solha. Por favor, preciso deles para o almoço – pronunciou em voz alta. E novamente cantarolou: – Como uma pluma azul... no ar flutuamos... perdemos lá o que aqui nos prende...

Não valia a pena anotar as palavras naquele caderno, encapado como se fosse um registro de contabilidade, para prevenir-se caso Giles tivesse alguma suspeita. "Frustrada" era o termo que melhor se aplicava a Isa. Jamais saía de uma loja com a roupa que admirara; nem gostava de seu próprio corpo refletido contra um rolo de tecido escuro da vitrine. Cintura grande, membros graúdos e, exceto pelo cabelo, penteado conforme a moda da época, não tinha nada de uma Safo ou daqueles belos rapazes cujas fotos enfeitam os semanários. Parecia exatamente o que era: filha de sir Richard e sobrinha das duas velhinhas de Wimbledon que, sendo O'Neil, tanto se orgulhavam de descenderem dos reis da Irlanda.

* * *

Uma dama tola, querendo agradar, ao se deter no umbral do que um dia chamara "o coração da casa", o umbral da biblioteca, dissera certa vez:

– Depois da cozinha, a biblioteca é sempre o aposento mais simpático de uma casa. – Depois acrescentara, atravessando o umbral: – Os livros são o espelho da alma.

Nesse caso, tratava-se de uma alma embaciada, maculada. Pois, como o trem levasse mais de três horas para alcançar aquela remota aldeia no coração da Inglaterra, ninguém se aventurava numa jornada tão longa sem se prevenir contra a fome do espírito, adquirindo um livro na estação. Assim, o espelho que refletira a alma sublime refletiu também a alma entediada. Ninguém, vendo a montanha de romances baratos que os hóspedes de fim de semana deixavam por lá, poderia esperar que o espelho refletisse permanentemente a angústia de uma rainha ou o heroísmo do rei Harry.

Naquele começo de manhã de junho, a biblioteca estava vazia. A sra. Giles teve de ir à cozinha. O sr. Oliver andava pelo terraço. E, naturalmente, a sra. Swithin se achava na igreja. A brisa, leve, mas instável, prevista pela meteorologia, fazia tatalar a cortina amarela, alternando luz e sombra. O fogo tornava-se cinzento, depois cintilava, e a borboleta-tartaruga batia contra a vidraça inferior da janela; batia, batia, batia, repetindo que, se nenhum ser humano jamais viesse, os livros haveriam de mofar, o fogo se apagaria e a borboleta-tartaruga acabaria morrendo no peitoril.

O velho entrou em casa, precedido pelo impetuoso cão afegane. Já lera seu jornal; estava com sono; deixou-se cair na poltrona forrada de *chintz*, com o cão a seus pés – o cão afegane. Focinho sobre as patas, quadris soerguidos, parecia um cão de pedra, o cão de algum cruzado, vigiando o sono de seu amo até no reino da morte. Seu amo, porém, não estava morto; sonhava apenas; sonolento, vendo-se a si mesmo, como num espelho um pouco embaciado, um jovem de capacete, e uma cascata despencando. Só que sem água; e as colinas de substância cinzenta enrugada; e, na areia, uma armação arredondada de costelas, um boi devorado por vermes ao sol, e, na sombra da rocha, indivíduos selvagens; na mão dele, uma arma. A mão do sonho fechou-se; a mão verdadeira jazia sobre o braço da poltrona, as veias inchadas contendo agora apenas um líquido acastanhado.

A porta abriu-se.

– Estou interrompendo? – desculpou-se Isa.

Claro que estava – destruindo a juventude e a Índia. Mas era culpa dele, pois através dela insistira em estender o fio de sua vida, tão tênue, tão longe. Na verdade, contemplando-a enquanto se movia pelo aposento, sentiu-se grato a ela por ainda continuar.

Muitos velhos não tinham senão sua memória da Índia – velhos nos clubes, velhos nos quartos em Jermyn Street. Mas ela, no seu vestido listrado, dava-lhe continuidade, diante das prateleiras de livros:

– *O charco está escuro debaixo da lua, nuvens rápidas sugaram os últimos pálidos clarões da tarde...* Já encomendei o peixe – disse em voz alta, virando-se –, só não posso garantir se estará fresco ou não. Mas a carne de vitela anda tão cara, e todo mundo aqui em casa enjoou de carne de vaca e carneiro... Sohrab – disse então, postando-se diante deles –, o que ele anda fazendo?

O cão não sacudiu a cauda. Não admitia as algemas da domesticidade. Ficava apático ou mordia. Nesse momento, seus inquietos olhos amarelos fitaram a mulher, depois o homem. Conseguia sustentar os olhares deles. Nisso, Oliver lembrou:

– Seu filhinho é um chorão – disse, em tom de censura.

Ela suspirou, sentando-se numa poltrona, como um balão cativo amarrado às coisas domésticas por mil fios tenuíssimos:

– O que foi que aconteceu?

– Peguei o jornal – explicou – bem assim...

Apanhou-o e amassou-o em forma de bico sobre o nariz. "Assim" ele saltara de trás da árvore na direção das crianças.

– E ele começou a berrar. Esse seu filho é um covarde.

Ela franziu as sobrancelhas. Seu filho não era covarde, não era. Isa detestava tudo o que fosse doméstico, possessivo e maternal. Ele sabia disso e provocava-a de propósito, aquele velho grosseiro, seu sogro.

Ela desviou o olhar.

– A biblioteca é sempre o aposento mais simpático de uma casa – citou, correndo os olhos pelos livros. Eram "o espelho da alma". *A Rainha das Fadas* e *Crimeia*, de Kinslak; Keats e a *Sonata a Kreutzer*. Ali estavam eles, pensando. Em quê? Que remédio ofereciam a ela, na sua idade – a idade do século, trinta e nove anos? Como os demais de sua geração, não gostava de livros; também não apreciava armas. Contudo, tal como alguém com um dente dolorido passa os olhos na farmácia pelos frascos verdes com rótulos dourados que possam conter um remédio para seu mal, refletia: Keats e Shelley; Yeats e Donne. Ou talvez não um poema: a história de uma vida. A vida de Garibaldi. A vida de Lorde Palmerston. Ou, quem sabe, não a biografia de alguém: a história de um condado. *As Antiguidades de Durham*; *Relatórios da Sociedade Arqueológica de Nottingham*. Ou nada de vida, mas ciências – Eddington, Darwin ou Jans.

Nenhum deles curava sua dor de dente. Para a sua geração, os jornais serviam de livros; e, como seu sogro deixasse cair o *Times*, ela apanhou-o e leu: "Um cavalo de cauda verde...", o que era fantástico. Depois: "O guarda em Whitehall...", o que era algo romântico; e depois, encadeando as palavras, leu: "Os policiais disseram à jovem que o cavalo tinha cauda verde; mas ela achou que era apenas um cavalo comum. Então arrastaram-na até um quarto da caserna, onde foi lançada numa cama. Então um dos policiais tirou parte das roupas dela, e ela se pôs a gritar e lhe deu um tapa no rosto...".

Aquilo era real, tão real que ela conseguia ver na folha da porta de mogno o Arco de Whitehall; através do Arco, o quarto na caserna; no quarto, a cama; e sobre a cama, a moça que gritava, batendo no rosto dele; nisso, a porta (pois havia realmente uma porta) abriu-se e a sra. Swithin entrou, trazendo um martelo.

Avançava deslizando como se o soalho fluísse sob seus sapatos rústicos muito gastos. Avançando mais, repuxou os lábios e sorriu obliquamente para o irmão. Não disseram uma palavra enquanto ela se dirigia ao armário do canto e guardava o martelo, que retirara sem permissão; com ele guardou – descerrando a mão – um punhado de pregos.

– Cindy... Cindy... – resmungou ele, quando a mulher fechou a porta do armário.

Lucy, a irmã, era três anos mais moça do que ele. O nome Cindy, ou Sindy, pois podia ser grafado das duas maneiras, era o apelido de Lucy. Era assim que ele a chamava desde a infância, quando, ao ir pescar, ela trotava atrás dele e juntava em pequenos buquês apertados as flores do campo, amarrando-os com um longo talo de capim que dava muitas voltas em torno das flores. Certa vez, lembrava ela, o irmão a obrigara a tirar o peixe do anzol. O sangue a assustara:

– Oh! – gritara, porque as guelras estavam cheias de sangue.

E ele resmungara:

– Cindy!

O fantasma daquela manhã no campo habitava o espírito dela enquanto recolocava o martelo numa gaveta e os pregos em outra. Fechou o armário, com o qual o irmão tinha tantos cuidados, pois ainda guardava nele seu anzol.

– Estive pregando o cartaz no celeiro – disse ela, dando-lhe uma palmadinha no ombro.

As palavras eram como o primeiro toque de um carrilhão. Quando o primeiro repica, ouve-se o segundo; quando o segundo retine, ouve-se o terceiro. Assim, quando Isa ouviu a sra. Swithin dizer: "Estive pregando o cartaz no celeiro", soube que em seguida ela acrescentaria:

– Por causa da representação.

E ele diria:

– Hoje? Por Júpiter, eu tinha esquecido!

– Se o tempo estiver bom – prosseguiu a sra. Swithin –, vão representar no terraço...

– E, se chover – continuou Bartholomew –, será no celeiro.

– E o que teremos? – continuou a sra. Swithin. – Tempo bom ou chuva?

Então, pela sétima vez consecutiva, ambos olharam pela janela.

Todos os verões, agora já no sétimo verão, Isa ouvira as mesmas palavras sobre o martelo e os pregos, sobre a representação e o tempo. Cada ano eles diziam: será que o tempo vai estar bom ou chuvoso? E em todos os anos era uma coisa ou outra. O mesmo repique de carrilhão seguia o mesmo repique; apenas neste ano, ela ouviu, no meio do carrilhão: "A moça gritou e bateu no rosto dele com um martelo".

– A previsão – avisou o sr. Oliver, virando as páginas do jornal até encontrá-la – diz: "ventos variáveis; temperatura média; chuvas esparsas".

Baixou o jornal, e todos olharam para o céu a fim de constatar se ele obedecia ao meteorologista. O tempo, sem dúvida, mostrava-se instável. Num momento, o jardim aparecia verde; noutro, cinzento. Ali vinha o sol – ilimitado êxtase de alegria, abraçando cada flor, cada folha. Depois, afastava-se compadecido, cobrindo a face como se não quisesse ver os sofrimentos humanos. Nas nuvens havia negligência, falta de simetria e ordem, quando se adensavam ou se esgarçavam. Era a uma lei própria que obedeciam? Ou a lei nenhuma? Algumas não passavam de mechas de cabelo branco. Uma delas, bem no alto, muito distante, solidificara-se em dourado alabastro; era um mármore imortal. Por baixo dela havia azul, azul puro, azul negro, azul jamais filtrado até a terra, esquivando-se a qualquer registro. Jamais caía sobre o mundo como o sol, a sombra ou a chuva; antes, ignorava completamente essa esferazinha de terra colorida. Nenhuma flor jamais sentia esse azul; nenhum campo, nenhum jardim.

Os olhos da sra. Swithin tornaram-se vítreos enquanto fixava a cena. Isa pensou que esse olhar se tornara fixo porque contemplava Deus, Deus em seu trono. Mas, como uma sombra descesse sobre o jardim no momento seguinte, a sra. Swithin afrouxou e baixou o olhar fixo. Disse:

— Está muito incerto. Receio que chova. Só podemos rezar — acrescentou, tocando em seu crucifixo.

— E conseguir guarda-chuvas — replicou o irmão.

Lucy corou. Ele mexera com sua fé. Quando ela dissera "rezar", o irmão acrescentara "guarda-chuvas". Lucy escondeu parte do crucifixo com os dedos, e murchou, encolheu-se, mas logo exclamou:

— Ah, lá estão elas... queridinhas!

O carrinho atravessava o gramado. Isa também olhou. Era um anjo — aquela velhinha! Saudar assim as crianças; defender-se daquelas imensidões e das irreverências do velho, só com suas mãos tão magras e os olhos risonhos! Como era corajosa, desafiando Bart e o tempo!

— Ele parece florescer — disse a sra. Swithin.

— É impressionante como se recuperam depressa — disse Isa.

— Ele tomou café? — perguntou a sra. Swithin.

— Não deixou uma migalha — respondeu Isa.

— E o bebê? Nenhum sinal de sarampo?

Isa balançou a cabeça.

— Isola — disse, dando três batidinhas na madeira da mesa.

— Bart — perguntou a sra. Swithin, virando-se para o irmão —, diga-me: qual é a origem disso? Bater na madeira para "isolar...". Não foi Anteu quem tocou na terra?

Se ela conseguisse fixar sua atenção em alguma coisa, seria uma mulher muito inteligente, pensou Bart. Mas passava facilmente de uma coisa para outra. Tudo entrava por um ouvido e saía pelo outro. E, como acontece quando se tem mais de setenta anos, tudo se deixa envolver por algum problema recorrente. O dela era: viver em Kensington ou Kew? Mas, todos os anos, quando chegava o inverno, não fazia nenhuma dessas coisas. Hospedava--se em Hastings.

– Tocar a madeira, tocar a terra, Anteu – murmurou ele, juntando os pedaços desconexos. Lempriere resolveria a questão, ou a *Enciclopédia*. Mas não eram os livros que podiam responder à pergunta dele: por que, na cabeça de Lucy, de formato tão semelhante ao da sua, existia Alguém a quem dirigir orações? Ele não acreditava que a irmã revestisse esse Alguém de cabelos, dentes ou unhas dos pés. Devia ser antes uma força, ou uma irradiação, controlando o tordo e o verme, a tulipa e o cão e a ele próprio também, um velho de veias inchadas. Esse Alguém a fazia sair da cama no frio da manhã e descer pela trilha lamacenta, a fim de venerá-lo, diante de seu representante, que se chamava Streatfield. Um bom sujeito, aliás, fumava charutos na sacristia. Bem que merecia algumas compensações, pregando sermões para velhos asmáticos, perpetuamente consertando o campanário perpetuamente arruinado, com meios adquiridos através daqueles cartazes pregados nos celeiros. O velho achava que essa gente dava à igreja o amor que devia dar à carne e ao sangue... Então, batendo os dedos na mesa, Lucy disse:

– Qual é a origem... a origem... disso?

– Superstição – respondeu ele.

Ela corou, e pôde-se ouvir o breve suspiro, pois mais uma vez ele ofendera sua fé. Mas entre irmão e irmã a carne e o sangue não são uma barreira – são névoa. Nada, nenhuma discussão, nenhum acontecimento, nenhuma verdade, faria mudar sua afeição. Ele não via o que ela via; ela não enxergava o que ele enxergava – e assim por diante, *ad infinitum*.

– Cindy – resmungou ele. E foi o fim da discussão.

O celeiro em que Lucy pregara seu cartaz era uma construção grande, no pátio da fazenda. Era tão velho quanto a igreja, feito da mesma pedra, só que sem o campanário. Nos quatro cantos era sustentado por pilares de pedra cinzenta, para ficar protegido contra os ratos e a umidade. Quem acaso houvesse estado na Grécia sempre comentava que o celeiro lembrava um templo. Os que nunca haviam estado na Grécia – a maioria – também o admiravam. O telhado era de um vermelho-alaranjado desbotado pelo tempo; por dentro abria-se um grande espaço vazio, castanho, estriado de sol, cheirando a trigo, escuro quando se fechavam as portas, esplendidamente iluminado quando as portas na extremidade se escancaravam, tal como acontecia ao entrarem as carretas – longas carretas baixas como navios no mar, singrando o trigo, não o mar, regressando ao cair da tarde, transbordantes de feno. Por onde passavam, as carretas iam deixando tufos na beira dos caminhos.

Agora, havia bancos colocados no chão do celeiro. Se chovesse, os atores representariam ali; numa das extremidades haviam juntado tábuas à maneira de um palco. Com tempo bom ou com chuva, a audiência tomaria chá ali mesmo. Rapazes e moças – Jim, Íris, David, Jessica – ocupavam-se com as guirlandas de rosas de papel, brancas e vermelhas, sobra da festa da Coroação. A poeira e as partículas de grãos faziam-nos espirrar. Íris amarrava um lenço na testa; Jessica vestia culotes. Os rapazes trabalhavam em mangas de camisa. Traziam fiapos de palha clara por entre os cabelos, e havia perigo de que farpas se enfiassem em seus dedos.

A "velha Flimsy"* (apelido da sra. Swithin) pregara outro cartaz no celeiro. O primeiro fora derrubado pelo vento, ou pelo idiota da aldeia, que andava sempre arrancando coisas pregadas, e que agora devia estar dando sua risada abestalhada por ter escondido o cartaz à sombra de alguma sebe. Os jovens que trabalhavam também riam, como se a velha Swithin deixasse atrás de si um rastro de risos. Naturalmente, com sua mecha de cabelos brancos esvoaçantes, os sapatões abotoados como se seus pés fossem patinhas calosas de canário, e meias pretas enrugadas nos tornozelos, a velhota fez David piscar o olho e Jessica responder ao sinal enquanto lhe alcançava uma fieira de

---

* Flimsy: significa algo frágil, inadequado, inacabado. Indica, como apelido, que a sra. Swithin é um pouco amalucada. (N. da T.)

rosas de papel. Eram esnobes; estavam estabelecidos naquele recanto do mundo havia tempo bastante para terem assumido as marcas indeléveis dos hábitos de trezentos anos. Por isso, riam – mas sem faltarem com o respeito. Se a velha queria usar pérolas, então que usasse pérolas, e pronto.

– Olhe só a velha Flimsy trotando – disse David.

Ela entrou e saiu vinte vezes, por fim trouxe-lhes limonada numa jarra grande e um prato de sanduíches. Jessie segurava a guirlanda; ele martelava. Uma galinha entrou; uma fila de vacas passou pela porta; depois, um cão pastor; por fim, o vaqueiro Bond, que parou.

Contemplou os jovens a dependurarem as rosas de uma viga a outra. Não dava grande importância a nenhum deles, fossem gente simples ou refinada. Encostado à porta, sarcástico e silencioso, Bond parecia um salgueiro ressequido debruçado sobre um rio, despido de todas as folhas, refletindo em seus olhos o caprichoso fluir das águas.

– Ei! Oi! – gritou de repente. Devia ser a linguagem que usava com seu gado, pois a vaca malhada que enfiara a cabeça pela porta baixou os chifres, sacudiu a cauda e afastou-se trotando. Bond seguiu atrás dela.

※ ※ ※

– Esse é que é o problema – disse a sra. Swithin.

Enquanto o sr. Oliver consultava a *Enciclopédia*, procurando descobrir no verbete "Superstição" a origem de "isola" quando se bate na madeira, ela e Isa falavam sobre o peixe, se estaria fresco, vindo de tão longe.

Ali, achavam-se distantes do mar. Cerca de cem milhas, comentou a sra. Swithin; não, talvez cento e cinquenta.

– Mas – prosseguiu – dizem que em noites quietas a gente pode ouvir o rumor das ondas. Dizem que, depois de uma tempestade, a gente pode ouvir uma onda quebrando... Gosto dessa história – acrescentou, pensativa. – *Ouvindo as ondas no meio da noite ele selou um cavalo e cavalgou até o mar.* Bart, quem cavalgou até o mar?

Ele, porém, estava lendo.

– Bem, você não pode esperar que lhe tragam o peixe em casa num balde d'água – disse a sra. Swithin –, como fazíamos quando éramos crianças e morávamos numa casa perto do mar. Lagostas fresquinhas retiradas dos alçapões. Como elas agarravam o pedaço de pau que a cozinheira lhes estendia! E os salmões. A gente vê que eles estão frescos porque têm piolhos nas escamas.

Bartholomew concordou com a cabeça. Era verdade. Ele se lembrava da casa perto do mar. E das lagostas.

Traziam redes repletas de peixes do mar; Isa, porém, contemplava o jardim – cambiante, como previra a meteorologia, sob a brisa leve. As crianças passaram mais uma vez, ela bateu na vidraça e jogou-lhes um beijo. Que não foi ouvido, em meio ao rumorejar do arvoredo.

– Estamos mesmo a cem milhas do mar? – indagou, virando-se.

– Só trinta e cinco – respondeu o sogro, como se houvesse extraído do bolso uma fita métrica e tirasse a medida exata.

– Parece-me mais – comentou Isa. – Do terraço, parece que a terra continua indefinidamente.

– Houve um tempo em que não existia mar – disse a sra. Swithin. – Mar algum entre nós e o continente. Andei lendo sobre isso esta manhã. Havia rododendros no Strand e mamutes em Piccadilly.

– No tempo em que éramos selvagens – disse Isa. Então lembrou-se; seu dentista contara-lhe certa vez que os selvagens sabiam executar operações muito habilidosas no cérebro. E usavam até dentaduras postiças, dissera ele. As dentaduras foram inventadas no tempo dos Faraós, conforme ela pensava tê-lo ouvido dizer.

– Pelo menos foi o que meu dentista me contou – concluiu.

– A qual deles você vai agora? – perguntou a sra. Swithin.

– À mesma velha dupla: Batty e Bates, em Sloane Street.

– E o sr. Batty lhe contou que no tempo dos Faraós se usavam dentaduras postiças? – perguntou a sra. Swithin.

– Batty? Não, Batty não. Foi Bates – corrigiu Isa. E lembrou-se de que Batty só falava sobre a Realeza. E contou à sra. Swithin que entre as pacientes dele havia uma princesa.

– Ele me fez esperar mais de uma hora. E a senhora sabe como isso parece muito tempo quando se é criança.

– Casamento entre primos não pode ser bom para os dentes – disse a sra. Swithin.

Bart colocou o dedo dentro da boca, forçando a parte superior de sua dentadura a sair para fora dos lábios. Eram dentes falsos. Embora, comentou ele, os Oliver não se tivessem casado com primos. Os Oliver só conseguiam traçar sua árvore genealógica até duzentos ou trezentos anos atrás. Os Swithin, porém, eram muito mais antigos, estavam ali desde antes da Conquista.

– Os Swithin – começou a sra. Swithin, mas interrompeu-se. Bart faria outra piada sobre os Santos, se ela lhe desse oportunidade. E já tivera de aguentar duas piadas naquele dia; uma sobre um guarda-chuva, outra sobre superstições.

Por isso interrompeu-se e disse:

– Mas como foi que começamos esta conversa? – Pôs-se a contar nos dedos: – Os Faraós. Dentistas. Peixe... Ah, sim, Isa, você dizia que encomendou peixe e receia que não esteja fresco. E eu disse "Esse é o problema...".

* * *

Os peixes foram entregues. O empregado de Mitchell saltou da motocicleta, abarcando-os com o braço. Não houve tempo de dar um torrão de açúcar ao pônei na porta da cozinha, nem para mexericar um pouco, pois seu trajeto aumentara. Era preciso fazer entregas em Bickley, para além da colina; e também seguir até

Waythorn, Roddam e Pyeminster, gente cujos nomes, como o dele, constavam do *Domesday Book**. A cozinheira – chamava-se sra. Sands; os velhos amigos tratavam-na por Trixie – nunca, porém, em seus cinquenta anos de vida, passara além da colina, nem sentia vontade.

Ele jogou os peixes na mesa da cozinha, filés de solha translúcidos e sem espinhas. E antes que a sra. Sands tivesse tempo de retirar o papel, ele se fora, dando um tapa no belo gato amarelo, que se ergueu majestoso da cadeira de vime e avançou até a mesa, soberbo, farejando os peixes.

Estariam cheirando um pouco mal? A sra. Sands aproximou-os do nariz. O gato esfregava-se nas pernas da mesa e nas pernas dela. A sra. Sands guardaria um pedaço para Sunny – seu nome na sala era Sung-Yen, mas na cozinha mudava para Sunny. Levou os filés de peixe para a despensa, o gato seguindo atrás, e colocou-os num prato, no interior daquele aposento de ar eclesiástico. Pois, antes da Reforma, como tantas outras casas das redondezas, aquela tivera uma capela; e a capela transformara-se em despensa, tendo mudado quando mudara a religião, tal como o nome do gato também mudava... O Patrão (era seu nome na sala; na cozinha, chamam-no Bartie) às vezes levava senhores em visita à despensa – sempre quando a cozinheira se achava desprevenida. Não era para que olhassem os presuntos pendendo dos ganchos, ou a manteiga sobre um pedaço de ardósia azul, ou o pernil do jantar do dia seguinte, mas para que, anexo à despensa, vissem o porão, com o arco esculpido. Batendo-se nele – um dos cavalheiros possuía um martelo –, ouvia-se um som cavo, uma reverberação; sem dúvida, dissera ele, uma passagem secreta onde algum dia alguém se esconderá. Era possível. Contudo, a sra. Sands preferia que não entrassem na sua cozinha contando histórias quando as

---

* Livro em que se registram os nomes das mais antigas famílias de proprietários de terra, desde o tempo de Guilherme, o Conquistador. (N. da T.)

meninas estavam ali, enchendo suas cabeças de ideias tolas. Elas ouviam homens mortos rolando tonéis. Viam uma dama de branco passeando sob as árvores. Nenhuma delas passava pelo terraço depois de escurecer. Se um gato espirrava, diziam:

– É o fantasma!

Sunny recebeu seu pedacinho de filé. Depois, a sra. Sands tirou um ovo do cesto marrom, cheio deles com um pouco de penugem amarela presa às cascas; depois, uma pitada de farinha para passar nas fatias translúcidas; e pegou também uma côdea de pão num grande pote de barro repleto delas. Depois, voltando à cozinha, executou junto ao fogão aqueles movimentos rápidos, agitando cinzas, atiçando o fogo, ajeitando as chapas, transmitindo pela casa ecos estranhos, de modo que, por toda parte, não importa o que estivessem fazendo, pensando, dizendo, na biblioteca, na sala de estar, na sala de jantar e no quarto das crianças, todos sabiam que alguém preparava o café, o almoço, o jantar.

– Os sanduíches... – disse a sra. Swithin, entrando na cozinha. Evitou acrescentar "Sands" a "sanduíches", pois Sands e sanduíches eram palavras que se entrechocavam. "Nunca brinque com os nomes das pessoas", costumava dizer sua mãe. E o nome "Trixie" não combinava tão bem quanto "Sands" com aquela mulherzinha ácida, ruiva, áspera e contida, que jamais produzia obras-primas culinárias, mas que tampouco deixava cair grampos de cabelo na sopa.

– Mas que diabo é isto aqui? – exclamara Bart havia quinze anos, pegando um grampo com sua colher de sopa; isso fora havia quinze anos, nos velhos tempos, na época de Jessie Pook, antes de Sands entrar no serviço da casa.

A sra. Sands preparou o pão; a sra. Swithin preparou o presunto. Uma cortava o pão; a outra, o presunto. Trabalharem assim juntas era apaziguador; era algo sólido. As mãos da cozinheira cortavam, cortavam, cortavam. E Lucy, segurando o pão, sustinha a faca no ar. Por que o pão dormido é mais fácil de cortar do que o fresco? – ponderava. E assim, obliquamente, deslizou do levedo ao álcool, à fermentação, à embriaguez, a Baco; pensou em deitar-se debaixo de luminárias roxas num vinhedo da Itália, como fizera tantas vezes; enquanto isso, Sands escutava o tiquetaquear do relógio, via o gato, notava uma mosca zumbindo; e, via-se em seus lábios, estava ressentida por não poder protestar contra gente que vinha trabalhar na cozinha quando seria bem melhor ficarem pendurando rosas de papel no celeiro.

– Será que teremos um bom tempo? – perguntou a sra. Swithin, sua faca suspensa.

As criadas da cozinha divertiam-se com as manias de mãe Swithin.

– Parece – disse a sra. Sands, lançando pela janela o olhar agudo.

– No ano passado choveu – disse a sra. Swithin. – Lembra como tivemos de correr, recolhendo as cadeiras, quando a chuva chegou? – Ela recomeçou a cortar. Depois perguntou por Billy, sobrinho da sra. Sands, que era aprendiz de açougueiro.

– Anda fazendo o que um rapaz não deve fazer – disse a sra. Sands. – Foi insolente com o patrão.

– Tudo vai dar certo – disse a sra. Swithin, referindo-se em parte ao menino, em parte aos sanduíches, que estavam ficando muito bonitos, triangulares, bem guarnecidos.

– Talvez o sr. Giles se atrase – acrescentou, satisfeita, colocando um sanduíche no alto da pilha.

Pois o marido de Isa, o corretor, vinha de Londres.

E o trem local, que encontrava o expresso, jamais chegava pontualmente, ainda que ele apanhasse o primeiro trem, o que jamais acontecia. O que significava – na verdade, ninguém sabia o que significava para a sra. Sands que as pessoas perdessem seus trens, e ela, não importa o que tivesse vontade de fazer, teria de esperar junto do fogão, mantendo a carne aquecida.

— Pronto! — disse a sra. Swithin, passando os olhos nos sanduíches, alguns bonitos, outros nem tanto. — Vou levá-los para o celeiro.

Quanto à limonada, pensou ela, sem dúvida Jane, a ajudante da cozinha, viria atrás com ela.

Candish parou na sala de jantar para mexer numa rosa amarela. Arranjou-as — amarelas, brancas, vermelhas. Amava as flores e gostava de arrumá-las colocando harmoniosamente entre elas alguma folha verde em forma de espada ou de coração. Na verdade, era estranho o seu amor pelas rosas, levando-se em conta que era um beberrão e um jogador. As rosas amarelas foram postas no lugar. Agora, tudo estava pronto — prata e toalha alva, garfos, guardanapos e, no meio, a jarra com as rosas variadas. Assim, com um último olhar, ele deixou a sala de jantar.

Diante da janela pendiam dois quadros. Jamais se haviam encontrado na vida real, a dama alta e o homem segurando seu cavalo pela rédea. A dama era uma pintura comprada por Oliver porque gostara do quadro; o homem, um antepassado. Tinha um nome. Segurava a rédea. E dissera ao pintor:

— Se deseja pintar-me, que diabo, pinte-me enquanto houver folhas nas árvores.

Havia folhas nas árvores. Ele também dissera:

— Não há lugar para Colin além de Buster?

Colin era seu famoso galgo. Contudo, só havia lugar para Buster. O homem parecia dizer, mais aos que o contemplavam do que ao pintor, que era um escândalo deixar Colin de fora, e exigira que fosse enterrado a seus pés na mesma tumba, por volta de 1750; contudo, aquele ordinário reverendo cujo nome ninguém sabia não permitira.

Esse antepassado era motivo de muita discussão. A dama, porém, era apenas um retrato. Em seu vestido amarelo, recostada num pilar, com uma flecha de prata na mão e uma pluma no cabelo, lançava o olhar para cima e para baixo, em linhas curvas ou retas, através de clareiras verdes e sombras argênteas, róseas e pardas, perdendo-se no silêncio. O aposento estava vazio.

Vazio, vazio, vazio; silencioso, silencioso, silencioso. O aposento era uma concha onde ressoava o canto das coisas intemporais; um vaso pousado no coração da casa, alabastrino, suave, frio, contendo a imóvel essência destilada do vazio, do silêncio. A porta abriu-se do outro lado do vestíbulo. Uma voz, outra e mais outra entraram, ondulantes, moduladas: áspera – a voz de Bart; trêmula – a voz de Lucy; cheia – a voz de Isa. Impetuosas, impacientes, contestadoras, essas vozes atravessaram o vestíbulo, dizendo: "O trem está atrasado"; "mantenha-o aquecido"; "não, Candish, não esperaremos".

Saindo da biblioteca, as vozes pararam no vestíbulo.

Depararam-se com um obstáculo: uma rocha. Seria absolutamente impossível estar a sós, mesmo no campo? Foi esse o impacto. Depois, a rocha foi rodeada, abraçada. Embora doloroso, era essencial: é preciso conviver. Saindo da biblioteca, foi doloroso, conquanto agradável, encontrar-se com a sra. Manresa e um jovem desconhecido, cabelo cor de linho, com um tique nervoso no rosto. Não havia como escapar; o encontro era inevitável. Haviam chegado, sem convite, sem serem esperados, saindo de improviso da estrada, levados pelo mesmo instinto que faz carneiros e vacas desejarem agrupar-se. Traziam, no entanto, um cesto de comida. Ei-los.

– Não resistimos quando vimos o nome na placa da estrada – começou a sra. Manresa, com sua voz abundante e aflautada. – E este é um amigo, William Dodge. Íamos sentar-nos sozinhos no campo. Então, vendo a placa, eu disse: "Por que não pedir aos nossos queridos amigos que nos abriguem?". Tudo o que queremos é um lugar à mesa. Temos nossa comida. Temos nossos copos. Não pedimos nada senão... – aparentemente, o que ela queria era a convivência com alguém de sua espécie.

E acenou para o velho sr. Oliver com a mão enluvada, e sob a luva parecia haver anéis.

Ele curvou-se profundamente sobre a mão dela; um século antes, ele a teria beijado. Em meio a todos aqueles sons de boas-vindas, protestos, desculpas e novamente boas-vindas, inseria-se o silêncio que emanava de Isabella ao observar o jovem desconhecido. Naturalmente, tratava-se de um cavalheiro; via-se pelas meias e pelas calças; era um intelectual – gravata de poás, colete aberto; era um homem da cidade, um homem de gabinete, a tez macerada e o ar pouco saudável; muito nervoso, via-se pelo tique que contraíra suas feições numa careta no momento da apresentação. E era orgulhoso, pois, embora viesse como convidado da sra. Manresa, tentava contrabalançar as maneiras efusivas dela.

Isa sentia-se hostil, ainda que curiosa. Contudo, quando, para completar a apresentação, a sra. Manresa acrescentou: "É um artista", e ele corrigiu: "Apenas um empregado de escritório", ela pensou que ele dissera Ministério da Educação ou Sommerset House, e pusera outra vez o dedo naquele nó firmemente tramado no rosto dele, provocando o repuxamento e um momentâneo estrabismo.

Depois, entraram para almoçar, e a sra. Manresa borbulhava, saboreando sua capacidade de superar imperturbavelmente a pequena crise social – era preciso colocar mais dois pratos à mesa. Pois não confiava plenamente na carne e no sangue? E não somos todos feitos de carne e sangue? E que tolice incomodar-se com ninharias quando, sob a pele, somos todos carne e sangue – os homens e também as mulheres! Mas, obviamente, ela preferia os homens.

"Caso contrário, para que serviriam seus anéis e suas unhas, e esse chapeuzinho de palha realmente encantador?", disse Isabella em silêncio à sra. Manresa. E o silêncio enriquecia a conversa. O chapéu dela, os anéis, as unhas como rosas rubras, lustrosas como conchas, estavam ali para serem admirados. Mas não a história da sua vida. Esta não passava de fiapos e fragmentos para todos eles, exceto talvez para William Dodge, a quem ela chamava de "Bill" diante de todos – sinal talvez de que ele sabia mais do que os outros. Algumas das coisas que ele sabia – que a sra. Manresa andava pelo jardim à meia-noite em pijama de seda, que tocava jazz na vitrola e possuía em casa um bar para preparar coquetéis – eram coisas que também eles sabiam. Nada, porém, de particular; nenhum fato estritamente biográfico.

Dizia-se – mas era apenas um boato – que nascera na Tasmânia; seu avô fora exportado para lá por causa de algum confuso escândalo vitoriano: malversação de bens? Era isso? Na única vez que Isabella ouvira a história, não fora nada além disso; apenas diziam "exportado", porque o marido da dama boateira – Sra. Blencowe de Grange – brincara de maneira pedante com o termo "exportado", dizendo que melhor seria "expatriado", mas não chegara a pronunciar a palavra correta, que tinha na ponta da língua e que no momento não conseguia encontrar. E a história ficara por isso mesmo. Algumas vezes a sra. Manresa falava em um tio Bispo. Mas parece que fora apenas um Bispo das colônias. Nas colônias, as pessoas esqueciam e perdoavam com grande facilidade. Também se dizia que aqueles diamantes e rubis haviam sido cavados na terra pelas mãos de um "marido" que não fora Ralph Manresa. Ralph, um judeu, assumia ares de nobre proprietário de terras e, como diretor de várias companhias na cidade, ganhava toneladas de dinheiro; e não tinham filhos. Mas, com Jorge VI no trono, remexer no passado das pessoas parecia coisa antiquada, afetada e tão idiota quanto usar peles roídas pelas traças, pingentes de pérolas negras, camafeu e papel de carta de margens negras.

– Só preciso de um saca-rolhas – disse a sra. Manresa olhando para Candish como se fosse um homem real, e não um homem empalhado. Ela trouxera uma garrafa de champanhe, mas não o saca-rolhas. – Bill – disse, erguendo o polegar (estava abrindo a garrafa) –, veja só os quadros. Não falei que você ia adorar?

Era vulgar nos gestos e em toda a sua figura excessivamente sensual, exageradamente vestida para um piquenique. Contudo, isso era uma qualidade desejável, pelo menos preciosa, pois todos sentiam: "Foi ela quem disse isso, foi ela quem fez aquilo, não eu". E aproveitavam aquela quebra de decoro, aquele sopro de ar fresco, para seguirem como delfins, aos saltos, no rastro de um navio quebra-gelo. Acaso ela não devolvia ao velho Bartholomew suas ilhas perfumadas, sua juventude?

– Eu disse – continuou ela, olhando brejeiramente para Bart – que, depois de ver as coisas desta casa, ele nem ligaria mais para as nossas (que deviam possuir aos montes). E prometi que vocês lhe mostrariam o... – O champanhe espumou e ela insistiu em encher primeiro a taça de Bart. – O que é essa coisa que vocês mostram aos cavalheiros em visita e que os deixa tão enlouquecidos? Um arco normando? Saxão? Qual de nós foi o último a sair da escola? A sra. Giles?

Agora, ela fitava Isabella, calculando a juventude dela em relação à sua própria; contudo, sempre que falava com mulheres, velava o olhar, receando que, por serem suas cúmplices, pudessem ver através dele.

Assim, com um golpe atrás do outro, distribuindo champanhe e olhares brejeiros, ela impunha sua pretensão de ser uma filha da natureza, irrompendo (com um sorriso secreto) naquele porto bem abrigado que, depois de ter estado em Londres, a fazia sorrir, embora, por outro lado, também desafiasse Londres. Pois continuava a lhes oferecer uma exposição de sua vida londrina: mexericos, meras tolices, que ela, porém, sabia avaliar; terça-feira sentara-se ao lado de fulano e de sicrano – e, casualmente, acrescentava algum nome de batismo, depois um apelido; e então ele dissera... pois, sendo ela uma pessoa insignificante, não se preocupavam com o que lhe contavam – e "não é preciso dizer-lhes que me pediram segredo". E tudo isso fazia cócegas nos ouvidos deles. Depois, com o gesto de quem afasta a odiosa vida hipócrita de Londres, ela exclamou:

– Vejam só! Qual é a primeira coisa que faço quando chego aqui?

Haviam chegado na noite anterior, atravessando os prados de junho, sozinhos, ela e Bill, naturalmente, deixando Londres, que de repente se tornara suja e dissoluta, para jantar num albergue.

– O que faço? Posso dizê-lo em voz alta, sra. Swithin? É permitido? Sim, tudo pode acontecer nesta casa. Tiro meu espartilho (ela colocou as mãos nos quadris: era corpulenta) e rolo na grama. Rolo... Podem imaginar?

Soltou uma risada desinibida. Desistira de controlar a postura de seu corpo e assim conquistara a liberdade.

Isso é autêntico, pensou Isa. Bastante autêntico. E o seu amor pelo campo também. Muitas vezes, quando Ralph Manresa tinha de ficar na cidade, ela vinha sozinha; usava um velho chapéu de jardinagem; ensinava às mulheres da aldeia não a fazer picles e conservas, mas a tramar cestinhos frívolos com palha colorida. Pois dizia que o que elas queriam era distrair-se. Muitas vezes, se a chamavam, ouvia-se sua voz modulando entre as malvas-rosa:

– O-la-í, o-la-ô, o-la-ê!

Era uma boa mulher. Fazia o velho Bart sentir-se jovem. Erguendo sua taça, ele viu pelo canto do olho um lampejo branco no jardim: alguém passava por ali.

* * *

A ajudante de cozinha refrescava o rosto no lago dos nenúfares antes de começar a lavar a louça.

Sempre houvera nenúfares ali, nascidos espontaneamente de sementes trazidas pelo vento, flutuando alvos e rubros sobre os discos verdes das folhas. Por centenas de anos a água filtrava-se naquela cavidade, jazendo ali, com quatro a cinco pés de profundidade, sobre o fundo de lama negra. Sob essa densa superfície de águas verdes boiavam peixes vítreos, dourados com manchas brancas, listras negras ou prateadas. Executavam evoluções silenciosas naquele mundo aquático, imobilizavam-se hirtos na mancha azul do céu espelhado, ou disparavam para as margens, onde as ervas trêmulas formavam uma franja de sombra oscilante. Aranhas imprimiam suas delicadas patas no veio d'água.

Um grão caía e descia em espiral; uma pétala tombava, enchia-se de água e naufragava. E a frota de corpos em forma de navio detinha-se, imobilizava-se, ornamentada, revestida de esmalte; depois, partia em disparada, num súbito fremir.

Fora naquele centro profundo, naquele coração negro, que a dama se afogara. Fazia anos que o tanque fora dragado e encontraram um fêmur. Infelizmente era de um carneiro, não de uma dama. Carneiros não produzem fantasmas porque não têm almas. Os criados, porém, insistiam em que tinha de haver um fantasma; e o fantasma de uma dama afogada por amor. Assim, nenhum deles andava perto do lago de nenúfares à noite, só quando o sol brilhava e os patrões se achavam à mesa.

**

A pétala afundou; a criada voltou à cozinha; Bartholomew bebericava seu vinho. Sentia-se feliz como um menino, embora indiferente como um velho – sensação inusitada e agradável. Procurando em sua mente algo para dizer àquela senhora encantadora, escolheu a primeira coisa que encontrou; a história do fêmur de carneiro.

– Os criados devem ter seu fantasma – disse ele. Decerto as criadas da cozinha devem ter a sua dama afogada.

– Mas eu também devo! – exclamou a selvagem filha da natureza. Subitamente, mostrava-se solene como um mocho. Partindo um pedaço de pão para dar ênfase ao que dizia, afirmou que, quando Ralph estava na guerra, sabia que não poderia morrer sem que ela o visse: – Não importa onde eu estivesse ou o que

fizesse – acrescentou, abanando as mãos de modo que os diamantes cintilassem ao sol.
– Não sinto isso – disse a sra. Swithin, balançando a cabeça.
– Não – riu a sra. Manresa. – Não creio que a senhora sentisse. Nenhum de vocês. Vejam, estou no mesmo nível dos... – ela esperou que Candish se retirasse – dos criados. Não sou tão adulta e sensata como vocês.

E envaidecia-se dessa adolescência. Certo ou errado? Uma fonte de emoção borbulhava através de sua lama. Eles tinham forrado as suas com blocos de mármore. Para eles, um osso de carneiro era um osso de carneiro, não as relíquias da afogada lady Ermyntrude.

– E a que setor o senhor pertence – disse Bartholomew, virando-se para o convidado desconhecido –, adultos ou crianças?

Isabella abriu a boca, esperando que Dodge abrisse a dele e assim ela pudesse saber algo mais a seu respeito. Contudo, ele apenas ficou ali sentado, olhando. Disse:

– Perdão, senhor?

Todos o fitaram.

– Eu estava apreciando os quadros.

O quadro não olhava para ninguém. O quadro impelia-os por veredas de silêncio.

Foi Lucy quem o rompeu.

– Sra. Manresa, vou pedir-lhe um favor: se houver oportunidade esta tarde, poderia cantar para nós?

Esta tarde? A sra. Manresa ficou consternada. Era a representação? Ela nem sonhara que fosse nesta tarde. Não se teriam intrometido ali daquele modo se soubessem que seria nesta tarde. E, naturalmente, o carrilhão tocou mais uma vez. Isa ouviu o primeiro repicar, o segundo, o terceiro – se chovesse, seria no celeiro; se fizesse bom tempo, no terraço. E como estaria o tempo? Bom ou chuvoso? Todos olharam pela janela. Nisso, a porta se abriu. Candish veio dizer que o sr. Giles chegara. E desceria dentro de um instante.

* * *

Giles chegara. Vira na porta o grande carro prateado com as iniciais R. M. entrelaçadas de maneira a parecerem, de longe, um brasão. Visitas, pensara, estacionando logo atrás; e dirigira--se ao quarto para mudar de roupa. Um espectro de formalismo emergira nele, tal como rubor ou lágrimas assomam premidos pela emoção; ao ver o carro, pôs-se em movimento o mecanismo da sua boa educação: era preciso mudar de roupa. Entrou na sala de jantar com o aspecto de um jogador de críquete, calças de flanela e casaco azul com botões dourados; mas estava furioso. Durante a viagem de trem lera nos jornais da manhã que logo ali, do outro lado do golfo, na terra plana que os separava do continente, haviam fuzilado dezesseis homens, e outros estavam presos. Ainda assim trocara de roupa; era por causa de tia Lucy, que acenara para ele no momento da chegada. Giles pendurou nela o seu mau humor como se pendura um casaco num cabide. Tia Lucy, tola e irresponsável; e desde que, saindo da universidade, ele decidira pegar aquele emprego na cidade, ela aparentava surpresa, divertia-se vendo homens investindo suas vidas em compra e venda. Negociavam arados? Contas de vidro? Ações ou letras? Vendiam tudo isso a selvagens que estranhamente – pois que, nus, eram tão belos – queriam vestir-se e viver como ingleses. Era uma visão superficial e perversa de um problema que o afligira durante dez anos, uma vez que não possuía talento especial nem capital – pensou nisso enquanto a cumprimentava com a cabeça, por cima da mesa. Se pudesse escolher, teria sido fazendeiro. Mas não lhe tinham dado escolha. Assim, uma coisa levava a outra; e tudo, acumulado, acabava esmagando a gente; ficava--se aprisionado como um peixe na água. Assim, ele chegara para o fim de semana e tivera de mudar de roupa.

– Como vão? – disse numa saudação geral a todos na mesa. Fez um sinal de cabeça para o visitante desconhecido; achou-o antipático, e comeu o seu filé de solha.

Giles era exatamente o tipo que a sra. Manresa adorava: cabelo crespo; queixo firme, e não o queixo fugidio que tantas vezes se encontra; nariz reto e curto; com aquele cabelo, naturalmente os olhos tinham de ser azuis; e, para completar o tipo, havia nele algo de ousado e indômito que, mesmo aos quarenta e cinco anos, levava a sra. Manresa a recarregar suas velhas baterias.

Ele é meu marido, pensou Isabella enquanto se cumprimentavam de longe, em silêncio, por sobre as flores coloridas. *Pai dos meus filhos*. O clichê ainda funcionava; ela sentiu orgulho, afeição; e orgulhou-se novamente, por ter sido a escolhida dele. Depois de, à noite, ser varada de desejo pelo fazendeiro; depois de contemplar-se ao espelho pela manhã, era um choque descobrir o quanto ainda sentia de amor ao ver o marido entrar não um almofadinha da cidade, mas um jogador de críquete; e o quanto também sentia de ódio.

O primeiro encontro deles ocorrera na Escócia, durante uma pescaria. Ela num rochedo, ele em outro. A linha dela se emaranhara; então desistira de pescar e ficara observando aquele homem com a torrente disparando entre as pernas, lançando o anzol repetidas vezes – por fim saltara da água um salmão, como um lingote de prata, grosso e recurvo; e ela se apaixonara.

Bartholomew também o apreciava; notou que estava zangado, mas por quê? Depois lembrou-se dos visitantes. A família não era família diante de estranhos. E, laboriosamente, teve de contar-lhes sobre os quadros que o desconhecido contemplava quando Giles entrara.

– Esse é meu antepassado – disse, apontando para o homem com o cavalo. – Possuía um cachorro famoso. Esse cão tem lugar na história. O dono deixou registrado seu desejo de ser enterrado com ele.

Todos olharam o quadro. Lucy rompeu o silêncio:

– Sempre tenho a sensação de que ele está dizendo: "Pinte o meu cachorro".

— Mas, e o cavalo? – perguntou a sra. Manresa.

— O cavalo – comentou Bartholomew, colocando os óculos. Olhou o cavalo. Os traseiros não eram bons.

William Dodge, porém, ainda contemplava o retrato da dama.

— Ah – disse Bartholomew, que comprara o quadro só porque gostara dele –, o senhor é artista.

Dodge negou, pela segunda vez em meia hora, pensou Isa. *Por que uma boa mulher como a sra. Manresa trazia consigo aqueles mestiços?,* pensou Giles. E seu silêncio acrescentava algo à conversa. Dodge sacudiu a cabeça:

— Gosto desse quadro – foi tudo que conseguiu dizer.

— E tem razão em gostar dele – disse Bartholomew. – Um homem, esqueci o nome dele, um homem ligado a uma instituição, um homem que dá conselhos grátis a descendentes de famílias importantes, como nós, descendentes degenerados, disse... disse... – interrompeu-se. Todos contemplavam a dama. Mas ela olhava por sobre suas cabeças, fitando o nada. E, por clareiras verdes, levava-os ao coração do silêncio.

— Disse que foi pintado por sir Joshua? – perguntou a sra. Manresa, interrompendo bruscamente o silêncio.

— Não, não – respondeu precipitadamente William Dodge, em voz abafada.

Por que será que ele está com medo?, pensou Isabella. Era um pobre coitado; com medo de defender suas próprias crenças – assim como ela tinha medo do marido. Pois não escrevia seus poemas num livro encadernado como se fosse um registro da contabilidade doméstica, para que ele não suspeitasse? Ela fitou Giles.

Este terminara seu peixe; comera depressa, para que não tivessem de esperar. Agora, havia torta de cerejas. A sra. Manresa contava as sementes.

— Funileiro, alfaiate, soldado, marinheiro, farmacêutico, camponês... sou eu! – exclamou, encantada porque as sementes confirmavam que era uma filha da natureza.

– A senhora acredita nisso também? – perguntou o velho, zombando gentilmente dela.
– Claro, claro que acredito! – exclamou. Agora sentia-se novamente à vontade. Voltara a ser uma criatura boa. E os outros também estavam encantados; podiam segui-la, deixando para trás as sombras prateadas e negras que levavam ao coração do silêncio.
– Meu pai gostava muito de quadros – disse Dodge em voz baixa a Isa, que estava ao seu lado.
– Ora, o meu também! – exclamou ela. E começou a dar explicações rápidas, desconexas. Quando, em menina, tivera coqueluche, ficara com um tio que era clérigo e usava um barretinho; ele não fazia coisa alguma, nem ao menos pregava sermões; mas escrevia poemas, passeando pelo jardim, e recitava-os em voz alta.
– As pessoas o julgavam doido – disse. – Eu não... – Depois interrompeu-se.
– Funileiro, alfaiate, soldado, marinheiro, farmacêutico, camponês... Parece que sou ladrão – disse o velho Bartholomew, descansando a colher. – Vamos tomar café no jardim? – sugeriu e ergueu-se.
Isa arrastou sua cadeira pelo cascalho, recitando baixinho:
– *Para que escuro recanto de terra desabitada ou floresta varrida de ventos iremos agora? Ou giraremos de estrela em estrela, dançando ao incerto luar? Ou...*
Ela segurava pelo lado errado sua cadeira dobrável. Estava mal encaixada.
– Canções que meu tio me ensinava? – disse William Dodge, escutando seu murmúrio. Depois desdobrou a cadeira e fixou-a corretamente.
Isa corou, como se tivesse dito algo num aposento vazio e alguém saísse de trás de uma cortina.
– A gente sempre diz bobagens quando está com as mãos ocupadas – gracejou. Mas o que faria ele com suas mãos alvas, finas, bem-acabadas?

* * *

Giles voltou para casa e trouxe mais cadeiras, instalando-as em semicírculo, de modo que todos pudessem apreciar a paisagem ao abrigo da velha parede. Por algum acaso feliz haviam construído a parede junto da casa, talvez com a intenção de acrescentar outra ala no terreno elevado, exposto ao sol. Mas faltara dinheiro, o plano fora abandonado, e a parede permanecia: não passava de uma parede. Mais tarde, outra geração plantara árvores frutíferas que estendiam seus ramos pelos tijolos vermelho-laranjas, patinados pelo tempo. A sra. Sands achava que o ano fora bom quando conseguia tirar dessas árvores seis potes de geleia de abricó – as frutas nunca eram suficientemente doces para fazer sobremesa. Talvez, quando ainda no pé, os abricós devessem ser envoltos em saquinhos de musseline. Mas eram tão belos assim despidos, com uma face corada, a outra verde, que a sra. Swithin os deixava nus, e as vespas faziam seus furinhos neles.

O terreno elevava-se ali, de modo que, conforme cita o *Guia Figgis'* (1833), "havia uma bela vista das terras ao redor..., a torre da Abadia de Bolney, as florestas de Rough Norton e, numa colina à esquerda, o Hogben's Folly, assim chamado porque...".

O que constava no guia ainda era verdade; 1833 era verdade em 1939. Nenhuma casa fora construída ali; nenhuma cidade desabrochara. Hogben's Folly ainda se destacava; o terreno muito plano, dividido em campos lavrados, mudara só neste aspecto: o arado fora parcialmente substituído pelo trator. Não se usavam mais cavalos, mas ainda havia vacas. Se Figgis estivesse presente agora, teria repetido a mesma coisa. Sempre diziam isso quando se sentavam ali no verão, para tomar café, caso houvesse hóspedes. Quando estavam a sós, não diziam nada. Olhavam a paisagem; olhavam o que conheciam, para ver se, quem sabe, hoje estariam um pouco diferente. Mas quase sempre a paisagem se mostrava igual.

– É isso que torna essa paisagem tão triste – disse a sra. Swithin, pousando na cadeira dobrável que Giles lhe trouxera. – E tão bela. Estará tudo aí quando nós já não existirmos mais – comentou, indicando com a cabeça a faixa de gaze que jazia sobre os campos distantes.

Giles ajeitou a cadeira com um empurrão. Só assim conseguia exprimir sua irritação, sua raiva por causa daqueles velhotes que ficavam ali sentados olhando paisagens, tomando café com creme, quando toda a Europa – logo ali – estava eriçada como... Ele não atinava com a metáfora desejada. Apenas a palavra "ouriço", ineficaz, ilustrava a sua visão da Europa eriçada em armas, povoada de aviões. A qualquer momento, canhões rasgariam sulcos naquela paisagem; aviões estilhaçariam a Abadia de Bolney e estourariam Folly. Ele também amava aquele lugar. E censurou tia Lucy, que contemplava a paisagem em vez de fazer... fazer o quê? O que ela fizera fora casar-se com um nobre fazendeiro, agora morto; tivera dois filhos, um vivendo no Canadá, outro casado em Birmingham. Giles excluiu dessa censura o pai, a quem amava; quanto a ele próprio, as coisas aconteciam à sua revelia; por isso sentava-se com aqueles velhotes, contemplando a paisagem.

– Lindo – disse a sra. Manresa. E murmurou outra vez: – Lindo... – Tentou acender um cigarro, mas a brisa apagou o fósforo. Giles acendeu outro no abrigo da mão fechada. A sra. Manresa também não merecia censura, mas ele não saberia dizer por quê.

– Já que se interessa por quadros – disse Bartholomew, voltando-se para o silencioso visitante, o champanhe fazendo-o pronunciar uma inusitada torrente de polissílabos –, diga-me: por que somos uma raça tão irresponsável, insensível e indiferente a essa nobre arte, quando a sra. Manresa (se permite essa liberdade a um homem velho) sabe seu Shakespeare de cor?

– Shakespeare de cor? – protestou a sra. Manresa, fazendo pose. – *Ser ou não ser, eis a questão. Será mais nobre...* Prossiga! – disse, dando a deixa a Giles, sentado a seu lado.

— *Desaparecer e esquecer de tudo o que jamais viste entre as ramagens...* – Isa pronunciou as primeiras palavras que lhe vieram à cabeça, para ajudar o marido a sair da enrascada.

— *A lassidão, a tortura, a agitação...* – acrescentou William Dodge, sepultando o toco de seu cigarro entre duas pedras.

— Isso mesmo! – exclamou Bartholomew, agitando o dedo indicador no ar. – Essa é a prova! Que fontes são tocadas, que gaveta oculta oferece seus tesouros, quando digo – ele ergueu mais dedos – Reynolds! Constable Crome!

— Por que os chamam de "Velhos"? – interrompeu a sra. Manresa.

— Não possuímos as palavras... não possuímos as palavras – protestou a sra. Swithin. – Elas estão por trás dos olhos, não sobre os lábios. É isso.

— Pensamentos sem palavras – ponderou seu irmão. – Isso pode existir?

— Isso foge ao meu alcance! – exclamou a sra. Manresa, sacudindo a cabeça. – Inteligente demais! Posso? Sei que é errado. Mas cheguei à idade – e ao corpo – em que faço o que me agrada. – E, pegando a pequena jarra de prata com creme, deixou o fluido macio escorrer luxuriante para o seu café, acrescentando uma colher de açúcar mascavo. Sensualmente, ritmadamente, ficou mexendo a mistura com a colher.

— Pegue quanto quiser! Sirva-se! – exclamou Bartholomew. Sentia o champanhe evolando-se e, antes que o último traço de euforia se desfizesse, apressou-se em tirar o máximo proveito dele, como se, antes de adormecer, lançasse um último olhar pelo quarto iluminado.

A filha da natureza, mais uma vez gozando da complacência do velho, fitava Giles por cima da xícara de café, sentindo-o seu cúmplice. Estavam unidos por algum fio visível, invisível, como aqueles filamentos que, ora visíveis, ora não, unem as trêmulas folhas de relva no outono, antes que o sol nasça. Uma vez apenas ela o encontrara antes, numa partida de críquete. E então tramara-se entre eles um filamento matinal, antes de emergirem os talos e as folhas de uma amizade concreta. Antes de beber, ela olhava. Olhar fazia parte de beber. Parecia indagar: por que desperdiçar a sensação, por que desperdiçar uma só gota que possa ser espremida desse mundo maduro, suculento, adorável? E então ela bebeu. O ar em torno era uma rede de sensações. Bartholomew sentia isso; Giles também. Se fosse um cavalo, sua fina pele castanha se repuxaria como se uma mosca tivesse pousado nela. Isabella também sentiu o frêmito, a pele beliscada pelo ciúme, pela ira.

– E agora – disse a sra. Manresa, descansando a xícara –, quanto a essa festa, a representação na qual nos metemos sem saber (e fazia com que também isso parecesse um fruto, maduro como os abricós em que as vespas abrem furos), do que se trata? Contem-me. – Ela se virou: – O que é isso que estou ouvindo? – E ficou à escuta.

Ouviam-se risos mais adiante, em meio aos arbustos, onde o terraço mergulhava neles.

Atrás do lago de nenúfares o terreno baixava novamente, e naquela cavidade havia uma densa confusão de arbustos e sarças. Ali era sempre sombrio; no verão, com manchas de sol; no inverno, apenas treva e umidade. No verão havia sempre borboletas: fritilárias rápidas; almirantes rubras sorvendo néctar e esvoaçando; alvas borboletas flutuando modestamente em torno de um arbusto como camponesas vestidas de musselline, contentes por consumirem ali a vida inteira. Geração após geração, era sempre ali que se começava a caçar borboletas; Bartholomew e Lucy; Giles; George começara havia apenas dois dias, quando pegara uma borboletinha branca em sua pequena rede verde.

Era o lugar adequado para servir de bastidor e camarim, assim como o terraço era o melhor lugar para servir de palco.

– O melhor lugar! – exclamara a srta. La Trobe na sua primeira visita, quando lhe mostraram a propriedade. Fora num dia de inverno, as árvores nuas.

– Esse é o lugar ideal para representar uma peça de teatro, sr. Oliver! – exclamara. – Arejado, e no meio das árvores... – ela acenara com a mão para as três árvores nuas na clara luz de janeiro.

– Aqui, o palco; ali, a plateia; e lá embaixo, entre os arbustos, um camarim perfeito para os atores.

Ela sempre ficava impaciente para arranjar as coisas logo. Mas de onde brotara? Com aquele nome, não devia ser inglesa pura. Talvez das Ilhas do Canal? Mas seus olhos, e alguma coisa no seu jeito, sempre faziam a sra. Bingham suspeitar de que tinha algum sangue russo.

Aqueles olhos fundos, aquele maxilar quadrado, faziam-na lembrar os tártaros, embora não tivesse estado na Rússia. Havia boatos de que fora dona de uma casa de chá em Winchester e falira. Fora atriz; também nisso falira. Comprara então uma casa de quatro cômodos, que dividia com uma atriz. Houvera uma briga entre as duas. Na verdade, sabia-se muito pouco a seu respeito. Era morena, robusta e atarracada; andava pelos campos de blusão solto, às vezes um cigarro na boca; e empregava uma linguagem bastante forte – quem sabe não era realmente uma dama? De qualquer modo, gostava de agitar as coisas.

* * *

O riso extinguiu-se.

Eles vão representar? – perguntou a sra. Manresa.

– Representar, dançar, cantar, um pouco de cada coisa – disse Giles.

– A srta. La Trobe tem uma energia admirável – disse a sra. Swithin.

– Ela faz todo mundo trabalhar – disse Isabella.

– Nosso papel é sermos a plateia – disse Bartholomew. – Aliás, papel muito importante.

– Também fornecemos chá – disse a sra. Swithin.

– Não devíamos ir até lá ajudar? – perguntou a sra. Manresa.

– Quem sabe, cortar pão e passar manteiga?

– Não, não – disse o sr. Oliver. – Somos a plateia.

– Um ano desses tivemos *Gammer Gurton's Needle** – disse a sra. Swithin. – Em outro ano escrevemos nós mesmos a peça. O filho do nosso ferreiro... Tony? Tommy? Tinha uma voz adorável. E Elsie, dos Crossway... que mímica excelente! Ficamos arrebatados. Bart; Giles; a velha Flimsy... essa sou eu. As pessoas aqui são talentosas, muito talentosas. O problema é: como descobrir os talentos? É nisso que a srta. La Trobe é perita. Naturalmente, podem-se escolher textos de toda a literatura inglesa. Mas como escolher? Muitas vezes, num dia chuvoso, ponho-me a fazer a conta do que já li, do que ainda não li.

– E vai deixando livros pelo chão – disse o irmão. – Como o porquinho da história. Ou era um burro?

Ela deu risada, batendo de leve no joelho dele.

– O burro que não conseguia escolher entre o feno e os nabos, e por isso morreu de fome – explicou Isabella, interpondo não importava o que fosse entre a tia e o marido, que estava detestando a conversa nessa tarde. Livros abertos; nenhuma conclusão; e ele ali sentado na plateia.

– Ficaremos sentados... somos a plateia. – Nessa tarde, as palavras não jaziam esmagadas nas frases. Erguiam-se, ameaçadoras, brandindo os punhos na cara da gente. Nessa tarde, ele não era Giles Oliver, que viera apreciar os aldeões na sua representação anual; estava concentrado numa rocha, forçado a contemplar, passivo, um indescritível horror. Seu rosto demonstrava isso; e, sem saber o que dizer, meio de propósito, Isa derrubou uma xícara de café.

William Dodge apanhou-a enquanto caía. Ficou por um momento com ela na mão. Virou-a. Pela desbotada marca azul,

---

* Antiga peça inglesa do século XVI (N. da T.).

punhais cruzados no fundo vítreo, viu que era inglesa, talvez de Nottingham, por volta de 1760. A expressão do rosto dele, contemplando os punhais e tirando essa conclusão, deu a Giles outro cabide onde pendurar sua raiva como se pendura um casaco de maneira conveniente. Um bajulador; um parasita; não um homem sincero, mas inclinado a provocações e minúcias; sempre remexendo nas sensações; pegando e escolhendo; perdendo tempo com futilidades; incapaz de amar sinceramente uma mulher – a cabeça dele agora estava próxima da cabeça de Isa –, mas apenas um... Pensando nessa palavra, que não podia pronunciar em público, Giles torceu os lábios, e o anel de sinete em seu dedo mínimo pareceu mais vermelho, porque a carne em torno ficou branca quando ele apertou o braço da cadeira.

– Ah, mas que divertido! – exclamou a sra. Manresa, com sua voz aflautada. – Um pouco de cada coisa. Uma canção, uma dança, depois uma peça representada pelos moradores da aldeia. Mas – virou a cabeça para Isabella – estou certa de que foi *ela* quem a escreveu. Não foi a senhora, sra. Giles?

Isa negou, corando.

– Quanto a mim – continuou a sra. Manresa –, falando francamente, não consigo ligar duas palavras. Não sei como é possível... sou tão tagarela, mas quando tomo a pena... – contraiu o rosto, arranjou os dedos como se segurasse uma caneta; embora a mantivesse sobre a mesinha, a caneta recusava-se a se mover. – E minha letra... tão grande... tão desajeitada... – contraiu o rosto em outra careta e deixou cair a caneta invisível.

Delicadamente, William Dodge descansou a xícara no pires.

– Mas *ele* – disse a sra. Manresa, como se atribuísse à sua habilidade para escrever a mesma delicadeza daquele gesto –, ele escreve lindamente. Cada letra numa forma perfeita.

Todos o olharam mais uma vez; no mesmo instante, ele escondeu as mãos nos bolsos.

Isabella adivinhou a palavra que Giles não pronunciara. Seria errado aplicar-lhe tal palavra? Por que julgarmos uns aos outros? Acaso nos conhecemos? Não aqui, nem agora. Mas em algum lugar, essa nuvem, essa crosta, essa dúvida, essa névoa... Ela aguardou uma rima que combinasse com uma dessas palavras, mas falhou. Certamente em algum lugar brilharia um sol e, sem dúvida, tudo ficaria claro.

Ela estremeceu. Novamente chegava até ela o som dos risos.

– Acho que estou ouvindo – disse. – Estão se aprontando. Vestindo-se entre os arbustos.

***

A srta. La Trobe andava de um lado para o outro entre as bétulas inclinadas, uma das mãos no fundo do bolso do casaco, a outra segurando uma folha de papel almaço. E lia o que estava escrito nela. Parecia um comandante de navio andando pelo convés. As graciosas árvores pendentes, com faixas negras circundando a casca prateada, guardavam entre si a distância de um barco.

O tempo estaria bom, ou choveria? O sol apareceu, e, protegendo os olhos com a mão, na atitude própria de um almirante em seu convés, ela decidiu arriscar-se e marcar a representação para o ar livre. Não havia mais dúvidas. Ordenou que todos os apetrechos do palco fossem trazidos do celeiro para os arbustos. Foi o que fizeram. E, enquanto ela andava de um lado para outro, assumindo toda a responsabilidade da opção pelo bom tempo, os atores vestiam-se entre as sarças, de onde brotavam os seus risos.

Os trajes estavam estendidos na relva. Coroas de papelão, espadas de papel-alumínio, turbantes de tecido barato jaziam no chão ou pendiam dos arbustos. Havia manchas de vermelho e roxo nas sombras; lampejos de prata ao sol. Os vestidos atraíam as borboletas. Vermelho e prata, azul e amarelo, exalavam doçura e calor. As borboletas almirantes rubras absorviam ávidas a abundância do tecido barato, e as brancas sorviam o gélido frio do papel-alumínio. Esvoaçando, escolhiam suas cores, saboreavam-nas, e retornavam mais uma vez.

A srta. La Trobe parou de andar e inspecionou a cena, murmurando:

– Parece... – pois atrás da peça que ela acabara de escrever havia sempre outra peça já preparada em sua mente. Ficou olhando, protegendo os olhos com a mão. As borboletas faziam suas evoluções; luzes cambiantes; crianças saltando; mães aos risos.

– Não, não consigo lembrar – murmurou e recomeçou a andar. Às escondidas chamavam-na de "Bossy"*, assim como chamavam a sra. Swithin de "Flimsy". Suas maneiras abruptas, seu vulto atarracado; os tornozelos grossos e os sapatões; suas decisões rápidas, enunciadas em voz gutural – tudo os irritava. Ninguém gostava de receber ordens isoladamente. Mas, em pequenos rebanhos, acabavam apelando para ela. Precisavam de um líder. Mesmo assim, criticavam-na: e se chovesse?

– Srta. La Trobe! – chamaram. – O que vamos fazer com isso aqui?

Ela parou. David e Íris estavam com as mãos sobre o gramofone. Era preciso escondê-lo; mas, por outro lado, devia ficar suficientemente próximo da plateia para ser ouvido. Bem, ela já não dera as ordens? Onde estavam os cavaletes disfarçados com folhagens? Fossem apanhá-los. O sr. Streatfield prometera cuidar disso. Onde estava o sr. Streatfield? Não se via o sacerdote. Quem sabe, estaria no celeiro?

– Tommy, vá chamá-lo.

Mas Tommy entra no primeiro ato.

– Então, Beryl...

As mães discutiam. Haviam escolhido uma criança; outra fora rejeitada. Injustamente, tinham preferido a de cabelo

---

* De *boss*, chefe, patrão. (N. da T.)

51

louro à de escuro. A sra. Ebury proibira Fanny de representar por causa da urticária. Na aldeia usavam outro termo para urticária.

A casa da sra. Ball não era propriamente limpa. Na guerra passada, a sra. Ball vivera com outro homem enquanto o marido estava nas trincheiras. A srta. La Trobe sabia disso tudo, mas não queria envolver-se nesses assuntos. Simplesmente mergulhava nessa trama sutil como uma enorme pedra tombando no lago de nenúfares. A superfície estilhaçava-se. Só as raízes debaixo d'água interessavam à srta. La Trobe. A vaidade, por exemplo, tornava-as flexíveis. Os meninos queriam papéis importantes; as meninas queriam roupas bonitas. Era preciso controlar as despesas. O limite ficava em dez libras. Por isso, transgredia as convenções. Acorrentados às convenções, os outros não conseguiam ver tão claramente quanto a srta. La Trobe que, ao ar livre, um pano barato envolto numa cabeça parecia muito mais suntuoso do que seda verdadeira. Por isso discutiam; mas ela não se envolvia. Andava entre as bétulas, enquanto esperava o sr. Streatfield.

As outras árvores eram magnificamente eretas. Mas não excessivamente regulares; e, ainda assim, regulares o bastante para darem a ideia de pilares de igreja; uma igreja sem teto; uma catedral ao ar livre, um lugar onde, varando os ares, as andorinhas pareciam traçar um desenho entre a regularidade das árvores, dançando como bailarinos russos, apenas sem o acompanhamento musical – obedecendo, porém, ao ritmo inaudível de seus próprios corações selvagens.

* * *

Os risos apagaram-se.

– Precisamos dominar a impaciência de nossas almas – repetiu a sra. Manresa. – Ou será que poderíamos ajudar? – sugeriu, lançando um olhar sobre os ombros. – Quem sabe, com aquelas cadeiras?

Candish, um jardineiro e uma criada traziam cadeiras para a plateia. Não havia nada que a plateia pudesse fazer. A sra. Manresa dominou um bocejo. Todos estavam silenciosos. Fitavam a paisagem, com olhar fixo, como se num daqueles campos pudesse acontecer algo que os aliviasse do intolerável peso de estarem ali sentados, em silêncio, num grupo ocioso. Seus corpos e mentes estavam próximos, mas não o bastante. Não somos livres para sentir ou pensar isoladamente, sabiam todos, nem para pegar no sono. Estamos muito próximos; mas não o bastante. E remexiam-se, inquietos.

O calor aumentara. As nuvens haviam sumido. O sol brilhava, dominador. A paisagem jazia nua ao sol, achatada, aquietada, muda. As vacas, imóveis; o paredão de tijolos já não protegia ninguém, fazendo ricochetear o calor. O velho sr. Oliver deu um suspiro profundo. Sua cabeça baixou; sua mão tombou. Caiu a uma polegada da cabeça do cão que jazia na relva ao seu lado. Depois, bruscamente, voltou para o seu joelho.

Giles mantinha os olhos fixos. Com as mãos firmemente enlaçadas nos joelhos, olhava os campos planos. Permaneceu ali, sentado, em silêncio, o olhar vítreo.

Isabella sentia-se aprisionada. Setas rombudas feriam-na, atacando as barras da prisão, da sonolência, que as recurvavam; setas de amor, setas de ódio. Ela não sentia setas de amor ou ódio atravessarem os corpos das outras pessoas. Mas tinha aguda consciência – tomara vinho doce no almoço – de querer beber água.

– Um copo de água fria, um copo de água fria – repetiu, tendo uma momentânea visão de água trancafiada em paredes de vidro brilhante.

A sra. Manresa queria relaxar e enroscar-se num canto, sobre um almofadão, com uma revista e um saquinho de balas.

A sra. Swithin e William observavam distraidamente a paisagem, sem se ligarem a ela.

Que tentação, que grande tentação, deixar a paisagem triunfar sobre eles; refletir suas ondulações; deixar suas próprias mentes fremirem; permitir que os contornos se alongassem e mergulhar ali assim... com um movimento brusco.

A sra. Manresa cedeu, mergulhou, recompôs-se.

– Mas que paisagem! – exclamou, fingindo bater a cinza do cigarro, porém, na verdade, disfarçando um bocejo. Depois suspirou, fingindo expressar não sua própria sonolência, mas algo ligado ao que sentia em relação a paisagens.

Ninguém respondeu. Os campos achatados rebrilhavam num verde-amarelado, num azul-amarelado, num vermelho-amarelado, depois novamente apenas azul. Uma repetição absurda, horrenda, que os entorpecia.

– Pois então – disse a sra. Swithin numa voz abafada, como se tivesse chegado o momento de falar, como se tivesse prometido isso, e fosse hora de cumprir a promessa – venha, venha, vou mostrar-lhe a casa.

Não se dirigia a ninguém em especial. William Dodge, porém, sabia que se referia a ele. Ergueu-se bruscamente, como um boneco puxado por um cordão.

– Mas que energia! – disse a sra. Manresa, meio suspirando, meio bocejando.

Será que tenho coragem para ir também?, pensou Isabella. Os dois já estavam indo; acima de tudo no mundo, naquele momento ela desejava água fria, um grande copo de água fria; mas o desejo perdeu-se, sufocado pelo dever para com as outras pessoas. Contemplou-os enquanto partiam – a sra. Swithin com passinhos curtos, cambaleando um pouco; Dodge, ereto e desembaraçado, andando junto dela ao longo da parede abrasada, até chegarem à sombra da casa.

Uma caixa de fósforos caiu – era de Bartholomew. Seus dedos tinham se afrouxado e ele a deixara cair. Desistira do jogo; nada mais o aborrecia. Cabeça pendendo para um lado, mão oscilando sobre a cabeça do cão, ele adormeceu e pôs-se a roncar.

* * *

A sra. Swithin parou por um momento no saguão entre mesas com pés em forma de garras douradas.
– Eis a escada – disse. – Vamos subir.
E subiu, dois degraus à frente do visitante. Uma cascata de cetim amarelo desenrolou-se numa tela de craquelê enquanto subiam.
– Não é antepassada nossa – disse a sra. Swithin quando chegaram ao nível da cabeça do quadro. – Mas nós a adotamos porque a conhecemos... ah, faz tanto tempo. Quem teria sido? – perguntou, com olhar esgazeado. – Quem a pintou? – E sacudiu a cabeça. A mulher parecia iluminada, como se estivesse preparada para uma festa, o sol derramando-se sobre ela.
– Gosto mais dela ao luar – ponderou a sra. Swithin e subiu mais degraus.
Subindo, ofegava de leve. Depois passou a mão sobre os livros embutidos num nicho da parede, como se fossem os orifícios de uma flauta.
– Eis os poetas dos quais descendemos espiritualmente, senhor... – murmurou. Esquecera o nome dele, embora o tivesse escolhido entre os demais. – Meu irmão diz que construíram a casa voltada para o norte para ficar abrigada, e não virada para o sul, apanhando sol. Por isso os livros mofam no inverno – interrompeu-se. – E o que vem agora?
Parou diante de uma porta.
– A saleta da manhã – disse. – Onde minha mãe recebia suas visitas.
Duas cadeiras defrontavam-se dos dois lados de uma lareira finamente esculturada. Ele espiou por cima do ombro dela.
A sra. Swithin fechou a porta.

– Agora, vamos subir, subir ainda mais. – E subiram. – *Subiram e subiram* – ofegou, parecendo ver uma procissão invisível –, subiram para a cama. Um bispo. Um viajante. Esqueci seus nomes. Sou muito distraída. Esqueço tudo.

Parou junto de uma janela no corredor e afastou a cortina. Lá embaixo estava o jardim banhado de sol. A relva brilhante e lisa. Três pombos alvos flertavam, na ponta dos pés, como damas enfeitadas em vestidos de baile. Os corpos elegantes oscilavam quando avançavam sobre a relva em passinhos curtos e patinhas rosadas. De repente, ergueram-se, tatalando as asas, descreveram um círculo no ar e partiram.

– Agora, os quartos de dormir – disse ela. E bateu duas vezes a uma porta, escutando com a cabeça inclinada. – Nunca se sabe se não há alguém aí – murmurou, depois abriu a porta amplamente.

Ele esperava ver ali dentro uma pessoa nua, ou meio despida, ou ajoelhada em oração. O quarto, porém, estava vazio. Era um aposento limpíssimo, onde ninguém dormia fazia meses, um quarto impecavelmente arrumado. Havia velas sobre o toucador. A colcha estava esticada. A sra. Swithin parou junto da cama.

– Nasci aqui – disse, batendo de leve na colcha. – Sim, aqui. Nesta cama.

Sua voz apagou-se. Sentou-se na beira da cama. Estava cansada, obviamente, por causa das escadas e do calor.

– Temos outras vidas, penso eu, espero... – murmurou. – Vivemos em outras pessoas, senhor... Vivemos nas coisas.

Falava de maneira muito simples. Falava com certo esforço. Falava como se tivesse de dominar o cansaço, por compaixão diante de um estranho, um convidado. Só que esquecera o nome dele. Por duas vezes dissera "senhor" e interrompera-se.

A mobília era vitoriana, adquirida no Maples talvez, por volta de 1840. O tapete se cobria de manchinhas roxas. Um círculo branco indicava o lugar onde ficava a jarra junto do lavatório.

Ele poderia dizer: "Chame-me de William"? Desejava poder fazê-lo. Ela subira a escada, velha e frágil. Expressara seus pensamentos, sem se importar com o fato de que (como realmente acontecera) ele a julgaria inconsequente, sentimental e tola. Dera-lhe a mão para ajudá-lo a sair do marasmo. Adivinhara seu problema. E cantava para ele, sentada na cama, sacudindo as perninhas curtas:

– *Venha ver minhas algas marinhas, venha ver minhas conchas marinhas, venha ver meu periquito saltando em seu poleiro* – uma cantiga infantil, entoada por uma criança velha para ajudar outra criança. Parado junto do armário no canto, ele a via refletida no espelho. Os olhos de ambos sorriram, apartados dos corpos, olhos incorpóreos sorrindo para os olhos do espelho.

Ela deslizou de cima da cama.

– E agora, para onde vamos? – disse e seguiu a trotar pelo corredor.

Havia uma porta aberta. Todos estavam lá fora no jardim. O aposento parecia um navio cuja tripulação o tivesse abandonado. As crianças tinham brincado ali – havia um cavalo malhado no meio do tapete. A babá andara costurando – havia um pedaço de linho na mesa. O bebê estivera no berço. O berço se achava vazio.

– Aqui é o quarto das crianças – disse a sra. Swithin.

As palavras cresciam, tornavam-se símbolos. Era como se ela dissesse: "Eis o berço da nossa raça".

Dodge atravessou o quarto até a lareira, e contemplou o cão terra-nova no calendário de Natal preso à parede. O quarto exalava um odor cálido e doce de roupas secando, leite, biscoitos e água quente. A ilustração do calendário chamava-se "Bons Amigos". Pela porta aberta entrou um som farfalhante. Ele virou-se. A velha saíra para o corredor e debruçava-se na janela.

Ele deixou a porta aberta, para quando as crianças voltassem, e juntou-se a ela.

Lá embaixo, no pátio, carros estacionavam sob a janela. Suas capotas negras e estreitas juntavam-se como tábuas de um assoalho. Motoristas saltavam; velhas damas estendiam cautelosamente para fora pernas negras com sapatos de fivela prateada; anciãos expunham calças listradas. Moços de calções saltavam por um lado; pelo outro, mocinhas com pernas cor da pele. O cascalho amarelo era escarvado e remexido. A plateia se reunia. Eles, porém, olhando lá de cima, da janela, eram os faltosos, separados dos demais. E debruçavam-se juntos, com meio corpo fora da janela.

Soprou então uma brisa e todas as cortinas de musseline esvoaçaram, como se, erguendo-se do seu trono entre seus pares, uma deusa majestosa houvesse largado o manto cor de âmbar, e os outros deuses, vendo-a erguer-se e partir, se pusessem a rir, e o riso a impelisse.

A sra. Swithin passou as mãos nos cabelos, pois a brisa os despenteara.

– Senhor... – começou.

– Meu nome é William – interrompeu ele.

Ela mostrou um sorriso encantador de jovem tenra, como se o vento tivesse aquecido o invernoso azul de seus olhos, dando-lhe também uma coloração de âmbar.

– Afastei-o de seus amigos, William – desculpou-se –, porque me sentia mal, amarrada lá... – Tocou a testa ossuda, com uma veia toda enroscada como um verme azul. Mas os olhos ainda brilhavam nas suas cavidades. E ele só via esses olhos. E desejou ajoelhar-se diante dela, beijar sua mão e dizer:

"Na escola seguraram-me debaixo de um balde de água suja, sra. Swithin; quando ergui os olhos, o mundo era sujo, sra. Swithin; então me casei; mas meu filho não é meu, sra. Swithin. Sou apenas meio homem, sra. Swithin; uma serpentezinha esquiva na relva, com a mente bipartida, sra. Swithin; como Giles percebeu; mas a senhora me curou...".

Era o que desejava dizer; mas não disse nada; e a brisa continuou perambulando pelos corredores, inflando as cortinas para fora das janelas.

Mais uma vez ambos baixaram o olhar para o cascalho amarelo que formava uma meia-lua diante da porta. O crucifixo da sra. Swithin oscilou na corrente quando ela se debruçou para fora, e o sol incidiu sobre ele. Como podia venerar aquele símbolo tão polido? Como assumir a marca daquela imagem, ela, tão etérea, tão errática? Quando Dodge viu o crucifixo, sentiu que já não eram como crianças matando aula. O ruído das rodas tornou-se articulado, parecia dizer: "Rápido, rápido, rápido, ou chegarão atrasados; rápido, rápido, rápido, ou os melhores lugares serão tomados".

– Oh – exclamou a sra. Swithin –, lá está o sr. Streatfield!

Viram um clérigo, um sacerdote robusto, carregando um cavalete revestido de folhas. Andava entre os carros com ar de quem tem autoridade, alguém que está sendo aguardado e enfim chega.

– Está na hora de nos juntarmos... – disse a sra. Swithin, e deixou a frase suspensa, como se tivesse duas mentes, e as duas voassem para a direita e para a esquerda, à semelhança de pombos alçando-se da relva.

A plateia reunia-se. Chegavam pelas veredas e espalhavam-se na relva. Alguns eram velhos; outros estavam na flor da idade. Havia crianças. Entre eles, como talvez observasse o sr. Figgis, havia representantes das nossas mais respeitadas famílias – os Dyce, de Denton; os Wickham, de Owlswick; e assim por diante. Alguns achavam-se ali fazia séculos, jamais tendo vendido um só acre de suas propriedades. Contudo, havia também os neófitos, os Manresa, renovando as velhas casas, acrescentando-lhes banheiros. E uma porção de gente de todos os tipos, como Cobbet, de Cobbs Corner, que, conforme se dizia, vivia aposentado de seu emprego como administrador numa plantação de chá. Não possuía fortuna. Ele mesmo cuidava da sua casa e cultivava seu jardim. A construção de uma fábrica de automóveis e de um aeródromo nas vizinhanças atraíra uma porção de moradores eventuais. Lá também estava o sr. Page, o repórter, representando o jornal local. Mas, falando de maneira crua, se Figgis se encontrasse ali pessoalmente e fizesse a sua chamada, metade das damas e dos cavalheiros responderia: "*Adsum*; estou aqui, em lugar de meu avô ou meu bisavô", conforme o caso. Naquele instante, às três e meia de um dia de junho de 1939, cumprimentavam-se e, quando ocupavam seus assentos, sempre que possível uns perto dos outros, diziam:

– E aquela casa nova, medonha, em Peyes Corner! Que mau gosto! E aqueles bangalôs! Você já deu uma olhada?

E se Figgis tivesse chamado os nomes dos moradores da aldeia, também teriam respondido. A sra. Sands era Iliffe em solteira; a mãe de Candish era uma das Perry. As colinas verdes do cemitério haviam sido erguidas pelas toupeiras que, por séculos a fio, faziam a terra esboroar. Verdade que havia alguns ausentes, quando o sr. Streatfield fazia sua chamada na igreja. Por causa da motocicleta, do ônibus e do cinema – quando fazia sua chamada, o sr. Streatfield os acusava amargamente.

Filas de cadeiras dobráveis, ou de metal dourado, de bambu, e assentos de jardim alinhavam-se no terraço. Havia lugar suficiente para todos. Alguns, porém, preferiam sentar-se no chão. A srta. La Trobe certamente falara a verdade ao dizer:

– O lugar ideal para uma representação teatral!

O gramado era plano como o soalho de um teatro. O terraço, mais elevado, formava um palco natural. Como pilares, as árvores limitavam o palco. E a figura humana era enfaticamente realçada contra o céu. Contra todas as expectativas, o dia estava excelente. Uma perfeita tarde estival.

– Que sorte! – dizia a sra. Carter. – No ano passado... – Nisso começou a peça. Era a peça ou não? Chhh... chhhh... chhhh... vinha dos arbustos, o som de um aparelho quando vai enguiçar.

Alguns sentaram-se precipitadamente; outros, com ar de culpa, pararam de conversar. Todos olhavam para os arbustos. Pois o palco estava vazio. Chhh... chhhh... chhhh... zumbia o aparelho nos arbustos. Enquanto todos pareciam apreensivos, e alguns concluíam as suas frases, uma menina surgiu feito um botão de rosa cor-de-rosa; postou-se numa esteira atrás de um grande vaso de folhagens, e pipilou:

"*Nobres senhores e gente simples, falo a todos vós...*
Então já era a peça. Ou apenas o prólogo?
Vinde ao nosso festival (prosseguiu ela)
Como veem, é uma parte
Da história de nossa ilha.
Eu sou a Inglaterra...".

– Ela é a Inglaterra – sussurraram. – Já começou. É o prólogo – acrescentaram, baixando os olhos para o programa.

– Eu sou a Inglaterra – pipilou ela mais uma vez e parou.

Esquecera o seu texto.

– Muito bem! Muito bem! – disse entusiasmado um senhor idoso de colete branco. – Bravo! Bravo!

– Vão para o diabo! – praguejou a srta. La Trobe, escondida atrás de uma árvore. Olhou a primeira fila. Todos tinham os olhos fixos, como se estivessem expostos a uma geada que os cobrisse e prendesse na mesma postura. Só Bond, o vaqueiro, parecia fluido e natural.

– Música! – ordenou ela com um sinal. – Música! – Mas o aparelho continuava: chhh... chhh... chhh.

– *Um recém-nascido* – soprou ela.

– *Um recém-nascido* – prosseguiu Phyllis Jones.

"*Emergiu do mar*
De ondas tempestuosas
Separando da França e da Alemanha
Nossa ilha".

Ela relanceou o olhar por sobre o ombro. O aparelho ainda chiava, chhh..., chhh... chhh. Uma longa fieira de aldeões usando camisas feitas de saco de aniagem começou a passar de um lado para outro em fila indiana entre as árvores. Cantavam, embora a plateia não ouvisse coisa alguma.

– Eu sou a Inglaterra – continuava Phyllis Jones, encarando a plateia.

"Agora tenra e frágil
Criança, como podem ver..."
Suas palavras atingiram a plateia como uma chuva de pedrinhas duras. A sra. Manresa, bem no centro, sorria; sentiu, porém, que, ao sorrir, sua pele se rachava toda. Havia um imenso vazio entre ela, os aldeões que cantavam e a criança que pipilava qualquer coisa.

Chhh... chhh... chhh... continuava o aparelho, como uma ceifadeira num dia muito quente.

Os aldeões cantavam, mas metade de suas palavras era dispersa pela brisa:

"Traçando rotas... subindo ao topo da colina... Lá embaixo no vale... javalis, porcos selvagens, rinocerontes, renas... Cavamos abrigos no topo da colina... Cavamos raízes entre rochas... Cavamos trigo... até que também nós... acabamos debaixo da teeerraaaa...".

As palavras extinguiram-se. O aparelho vibrava chhh... chhh... chhh... Depois, finalmente, soltou sua voz!

Armado contra o destino
O valente Rodrigo
Valente e armado
Tonitruante e ousado
Rejubilou com firmeza
Vede os guerreiros... ei-los
Estão chegando.

* * *

O imponente cântico popular reboava. A srta. La Trobe observava por trás da árvore. Os músculos afrouxavam-se, o gelo rachava. A senhora corpulenta no centro começou a marcar o compasso com a mão na cadeira. A sra. Manresa cantarolava:
"*Windsor é meu lar, junto da Estalagem.*
Royal George chama-se a taverna.
E acreditem em mim, rapazes,
Nada de perguntas...".
Ela flutuava na torrente da melodia. Radiante, majestosa, complacente, bem-humorada, aquela filha da natureza era a rainha do festival. A representação começara.
Mas alguém chegava atrasado, interrompendo o espetáculo.
– Ora – resmungou a srta. La Trobe atrás da árvore –, que tormento essas interrupções!
– Sinto muito estar tão atrasada – disse a sra. Swithin, abrindo caminho entre as cadeiras para sentar-se ao lado do irmão.
– De que trata a peça? Perdi o prólogo. Inglaterra? Aquela menininha? Agora ela se foi...
Phyllis sumira de cima de sua esteira.
– E essa, quem é? – perguntou a sra. Swithin. Era Hilda, filha do carpinteiro. Postava-se onde antes estivera a Inglaterra.
– Oh, a Inglaterra cresceu... – soprou-lhe a srta. La Trobe.
– Oh, a Inglaterra cresceu, agora é uma donzela – cantou Hilda.
– Mas que bela voz! – exclamou alguém.
"*Rosas no cabelo, rosas silvestres*
Rosas rubras no cabelo dela,
Perambula nos campos e trança
Uma guirlanda para seu cabelo".
– Uma almofada? Ora, obrigada – disse a sra. Swithin, enfiando a almofada nas costas. Depois debruçou-se para a frente.
– É a Inglaterra no tempo de Chaucer. Estou compreendendo. A jovem celebra o mês de maio, colhendo nozes. Tem flores no

cabelo... E aquela gente passando por trás dela – a sra. Swithin apontou com o dedo. – Os peregrinos de Canterbury? Vejam! Todo o tempo os aldeões passavam por entre as árvores, cantando, mas só se ouviam uma ou duas palavras.

– ... abrindo sulcos na relva... erguendo casas na ruela... – O vento soprava as palavras que dariam nexo ao canto; quando chegaram à última árvore, entoaram: – Ao altar do santo... à tumba... amantes... e crentes... viemos...

Depois agruparam-se.

Ouviu-se um ruído e houve uma interrupção. Cadeiras arrastadas. Isa olhou para trás. O sr. e a sra. Rupert Haines acabavam de chegar, atrasados por causa de uma pane no caminho. Ele estava sentado à direita, várias filas atrás: o homem de cinza.

Enquanto isso, tendo prestado homenagem à sepultura, os peregrinos pareciam remexer feno com os ancinhos.

"Beijei uma donzela e deixei-a partir,
Mas outra e mais outra abracei
Na palha, no feno, as derrubei...".

Era o que cantavam, remexendo o feno invisível, quando ela olhou novamente para trás.

– São cenas da história da Inglaterra – explicou a sra. Manresa à sra. Swithin. Falou em voz alta e animada, como se a velhota fosse surda. – É a Inglaterra nos tempos felizes.

E bateu palmas energicamente.

Os cantores dispersaram-se nos arbustos. A música cessou. Chhh... chhh... chhh... vibrava o aparelho. A sra. Manresa consultou o programa. A não ser que saltassem alguns trechos, levariam até a meia-noite. Os primeiros bretões; os Plantagenetas; os Tudor; os Stuart – ela enumerou-os, saltando provavelmente um rei ou dois.

– Projeto ambicioso, não? – disse a Bartholomew enquanto esperavam. Chhh... chhh... chhh... continuava o aparelho. Podiam conversar? Podiam sair de seus lugares? Não, a peça ia continuar. O palco ainda estava vazio; só as vacas moviam-se no campo; só se ouvia a agulha pulsando no gramofone. Esse tique, tique, tique parecia mantê-los juntos num transe. E nada aparecia no palco.

– Não pensei que fosse tão bonito – sussurrou a sra. Swithin para William. E não era mesmo? As crianças, os peregrinos; por trás deles as árvores; e mais atrás os campos. A beleza do mundo visível deixava-o sem respiração. A máquina prosseguia: tique, tique, tique.

– Marcando o tempo – disse o velho Oliver, sufocado.

– Que não existe para nós – murmurou Lucy. – Somos apenas o presente.

E isso não basta?, pensou William. *A beleza não basta?*

Nisso, Isa se remexeu. Ergueu nervosamente até a cabeça os braços mornos e nus. Virou-se um pouco na cadeira. Parecia dizer, não, não basta, para nós, que somos o futuro. O futuro perturbando nosso presente. A quem procurava ela com o olhar? Virando-se, William seguiu seus olhos e viu apenas um homem de cinza.

O tique-tique parou. O aparelho tocava uma música de dança. Isa cantarolou no mesmo ritmo:

– *O que desejo? Voar para longe do dia e da noite, e chegar aonde... não haja mais separações... e os olhos se encontrem... e...*

– Oh – gritou em voz alta: – Olhem só para ela!

Todos batiam palmas, rindo. De trás dos arbustos emergiu a rainha Elizabeth – era Elisa Clark, a vendedora de tabaco. Seria mesmo a sra. Clark da mercearia da cidade? Estava magnificamente trajada. A cabeça, ornada de pérolas, erguia-se em meio a uma imensa gola franzida. Vestia cetins lustrosos. Broches baratos cintilavam como olhos de gatos e de tigres; as pérolas rebrilhavam leitosas; a capa fora confeccionada em tecido prateado; na verdade, tratava-se do material metálico com que se esfregam panelas. Mas ela parecia a personificação do seu tempo. E quando subiu no caixote de sabão, no centro do palco, representando talvez uma rocha no oceano, sua altura fez com que parecesse gigantesca. Era tão alta que na sua loja podia alcançar uma fatia de toucinho ou uma lata de azeite apenas erguendo o braço. Ficou por um momento sobre o caixote de sabão, imensa, dominadora, com nuvens singrando o azul atrás dela. Soprava uma brisa.

"*A rainha deste imenso país...*"
Foram essas as primeiras palavras que conseguiram ouvir por cima dos aplausos e dos risos.

"*Senhora dos navios eu sou e dos homens barbados* (declamava)
Como Hawkins, Frobisher, e Drake
Que buscam suas cargas de laranja, prata,
Diamantes e educados de ouro
Nas praias do Oeste"
(estendeu o punho para o céu de um azul abrasado) "*Senhora dos pináculos, das torres e dos castelos*"
(o braço apontou para a casa)
"*Para mim, Shakespeare declamou seus versos*" (uma vaca mugiu; um pássaro trinou)
"*O melro e a pomba na floresta verde*" (prosseguiu ela)
"*Na floresta virgem entoaram seus cânticos*
Louvando Inglaterra, a rainha.
Pelas ruas e estradas, de Windsor a Oxford
Também vinha o riso sonoro ou o riso abafado
De amantes ou guerreiros, lutadores, aos pares,
E cantores.
A loura criança
(estendeu o braço moreno e musculoso) *Estendeu o braço vibrando de alegria*
Quando os marujos que percorreram os mares
Voltaram das Ilhas, voltaram para casa...".

Nisso, o vento abalou seu penteado, preso bem no alto pelos fios de pérolas. Ela precisou segurar a gola franzida que ameaçava desprender-se e voar.

– Risos, risos estrondosos – murmurou Giles. O gramofone oscilava como se estivesse ébrio de tanto se divertir. A sra. Manresa começou a bater o pé, cantarolando no mesmo ritmo. – Bravo! – gritou. – Bravo! A velhota ainda está viva! – E começou a cantar a letra da canção com um abandono que, embora vulgar, ajudava a compor a atmosfera elisabetana. Pois a gola franzida se desprendera e a grande Elisa esquecera seus versos. A plateia, porém, ria tão alto que aquilo já não tinha a menor importância.
– Receio não estar regulando muito bem – murmurou Giles no mesmo ritmo. Palavras começavam a emergir... ele pôs-se a recordar: – *Sou um cervo ferido em cujo flanco o escárnio do mundo fincou seu espinho... Exilado da festa, a música tornou-se ironia... Um habitante de cemitérios a quem o mocho persegue com seu pio e de quem a hera zomba tamborilando no vitral... Pois todos estão mortos, e eu... eu... eu...* – repetia ele, esquecido das palavras, fitando tia Lucy, que se debruçava para a frente, boca entreaberta, batendo palmas com suas mãozinhas ossudas.

Mas de que estavam rindo?

De Albert, o idiota da aldeia. Não havia necessidade de vesti-lo com nenhum disfarce. Ele simplesmente aparecera e representava seu papel com perfeição. Vinha pelo gramado, a passos lentos, fazendo caretas e trejeitos.

"Sei onde fica o ninho da corruíra
(começou ele)
Na sebe, eu sei, eu sei,
Mas o que é que eu não sei?
Todos os vossos segredos, minhas damas,
E os vossos, cavalheiros... eu sei...".

Passou diante da primeira fila da plateia, fitando-os furtivamente, um a um. Depois, começou a puxar as saias da grande Elisa. Ela aplicou-lhe um tabefe. Ele a beliscou. Divertia-se enormemente.

– Albert está tendo o grande dia de sua vida – murmurou Bartholomew.

– Espero que não tenha um acesso de loucura – sussurrou Lucy.

– *Eu sei... eu sei...* – recitava Albert dando risadinhas, esgueirando-se ao redor do caixote de sabão.

– O idiota da aldeia – sussurrou uma senhora gorda de preto, a sra. Elmhurst, que vinha de uma aldeia a dez milhas dali, onde também havia um idiota.

Não era nada bonito aquilo. E se de repente ele fizesse alguma coisa horrível? No momento, puxava as saias da rainha. A sra. Elmhurst tapou um pouco os olhos, prevenindo-se para o caso de ele fazer realmente... algo horrível.

"*Tralalá, tralalá* (recomeçou Albert). *No quarto e lá fora lá, o que ouve o passarinho?* (assobiou entre os dedos) *Vejam só! Um ratinho...* (fingiu que perseguia o ratinho pela relva) *Nisso o relógio bate as horas!*

(postou-se ereto, inflando as bochechas como se soprasse uma vela)

Um, dois, três, quatro...

(Albert afastou-se, como se seu papel tivesse terminado)".

– Graças a Deus acabou – disse a sra. Elmhurst, descobrindo o rosto. – O que vem agora? Um quadro...?

Saindo rapidamente dos arbustos, os ajudantes cercaram o trono da rainha com painéis representando paredes.

Cobriram o chão de esteiras de junco. E os peregrinos, que prosseguiam em sua marcha e seus cânticos ao fundo, agora se reuniam em torno da figura de Elisa sobre o caixote de sabão, como se formassem o auditório numa peça de teatro.

Representariam para a rainha Elizabeth? Quem sabe era uma peça do Teatro do Globo*?

---

*   The Globe Theatre, quarto teatro a ser construído (1596) em Londres e que abrigou Shakespeare. (N. da T.)

– O que diz o programa? – perguntou a sra. Herbert Winthrop, erguendo a *lorgnette*.

Examinou a folha de papel borrada. Sim, era a cena de uma peça de teatro.

– É uma peça sobre um falso Duque e uma Princesa disfarçada de rapaz; depois, por um sinal no rosto, descobriram que um mendigo era o herdeiro do trono. E Caríntia, a filha do Duque, perdida numa caverna, apaixona-se por Ferdinando, que fora colocado num cestinho quando bebê e recolhido por uma anciã. E os dois se casam. Acho que é isso que vai acontecer – disse ela, erguendo os olhos do programa.

– *Representem* – comandou a grande Elisa. Uma velhota adiantou-se em passinhos saltitantes.

(Alguém murmurou: – A sra. Otter, de End House.) Ela sentou-se numa caixa e começou a puxar os cachos desgrenhados, balançando-se de um lado para o outro, como se fosse uma velhinha junto de uma lareira.

(– A velha que salvou o herdeiro legítimo – explicou a sra. Winthrop.)

"*Era noite de inverno* (grasnou a anciã)

Recordo agora, eu; para quem verão e inverno são a mesma coisa.

Dizeis que o sol brilha? Acredito, senhor.

Mas na verdade é inverno, e lá fora há nevoeiro.

Tudo é a mesma coisa para Elsbeth, inverno e verão, rezando em seu rosário perto da lareira.

Tenho motivos para rezar.

Cada conta (segurou uma conta entre o polegar e o indicador) *um crime! Era noite de inverno, antes de o galo cantar,*

E o galo cantou antes que ele me deixasse,

O homem encapuzado de mãos ensanguentadas,

E o bebê em seu cestinho.

'Dá... dá...' balbuciou a criança, como se dissesse, 'Quero meu brinquedo'. Pobre inocente!

'Dá... dá...' e não o pude matar!

Maria no Céu me perdoe por isso
Os pecados que cometi antes de o galo cantar!
Ao amanhecer esgueirei-me até a beira do mar
Onde a gaivota voa e a garça aguarda imóvel
Como um tronco na beira dos charcos... Quem está aí?
(Três rapazes avançaram em passos largos para o palco e postaram-se em torno dela.)
Senhores, vieram torturar-me?
Pouco sangue resta neste braço
(ela estendeu o bracinho magro para fora da túnica)
Que os Santos do Céu me protejam!"
Ela berrava. Eles também. Todos declamavam juntos, em voz tão alta que era difícil entender o que diziam; aparentemente a questão era: Ela se lembrava de ter posto uma criança num berço entre os arbustos havia cerca de vinte anos? "Um bebê num cestinho, sua velhota! Um bebê num cestinho?", vociferavam os rapazes. O vento uiva e o alcaravão crocita, respondia ela.

– Há um pouco de sangue em meu braço – repetiu Isabella.

Foi só o que escutou. Havia uma tal mistura de coisas acontecendo, com a velha surda, os jovens berrando, e a confusão do enredo, que ela já não entendia nada.

Mas o enredo teria importância?

Isabella mexeu-se e olhou por cima do ombro. O enredo existia apenas para provocar emoção. E não havia senão duas emoções: amor e ódio. Não era preciso decifrar o enredo da peça. Quem sabe, a srta. La Trobe pensasse nisso, quando cortara o nó bem no centro?

Não se importem com o enredo: o enredo não é nada. Mas o que acontecia no palco? O Príncipe chegara.

Puxando sua manga, a anciã reconheceu o sinal e, cambaleando para trás na cadeira, gritou em voz aguda:

"*Meu filho! Meu filho!*

Deu-se então o reconhecimento. O jovem Príncipe (Albert Perry) quase sufocava nos braços descarnados da anciã. Depois, subitamente, separou-se dela.

Veja quem vem vindo! – gritou ele.

Todos olhavam para ver quem era – Sylvia Edwards num traje de cetim branco.

Quem vinha vindo? Isa olhou. A canção do rouxinol? A pérola na negra orelha da noite? O amor personificado. Todos os braços ergueram-se; todos os rostos olharam fixamente.

Ave, doce Caríntia! – disse o Príncipe, tirando o chapéu num gesto largo. E ela lhe falou, erguendo os olhos:

Meu amor! Meu senhor!

Isso já bastava, já bastava, pensou Isa. Todo o resto seria excesso e repetição.

A anciã caíra de volta em sua cadeira, pois aquilo já bastava, e as contas do rosário oscilavam entre seus dedos.

Vejam... a velha Elsbeth está enferma! (Todos postaram-se ao redor dela)

Senhores, está morta!

Ela caíra para trás, sem vida. O grupo recuou. Deixem-na passar em paz. Ela, para quem tudo agora é igual, inverno e verão.

Essa era a terceira emoção: a paz. Amor. Ódio. Paz.

Três emoções formando o enredo da vida humana. O sacerdote, com a fala prejudicada pela grande barba de algodão, avançou e pronunciou a sua bênção.

Separem as mãos do emaranhado fio da roca da vida. (Apartaram as mãos dela)

Não lembremos nada mais da sua fragilidade.

Invoquemos o tordo de peito rubro, e a corruíra.

Rosas chovam seu lençol vermelho

(Cestos de vime deixaram cair pétalas de rosas) *Para cobrir seu corpo. Que durma em paz.*

(As pétalas cobriram o cadáver)

E vós, belos jovens (ele virou-se para o feliz casal). *Que o céu vos abençoe!*
Apressai-vos, antes que o invejoso sol
Rasgue a cortina da noite. Que soe música
E o ar livre do céu vos conduza ao repouso!
Abri a dança!"

O gramofone ressoou num clangor. Duques, sacerdotes, pastores, peregrinos e criados deram-se as mãos e dançaram. O idiota saltitava de um lado para outro. Dançaram, as mãos dadas, as cabeças oscilantes, em torno da majestosa Era Elisabetana, personificada pela sra. Clark, vendedora de tabaco, sobre sua caixa de sabão.

Foi uma confusão, uma mixórdia, um espetáculo fascinante (para William) de luzes e sombras alternadas sobre braços e pernas semivestidos, em cores fantásticas, saltando, balouçando, contorcendo-se. Ele bateu palmas até as mãos doerem.

A sra. Manresa aplaudia ruidosamente. De alguma forma, sentia-se a rainha; e ele (Giles) era o herói casmurro.

– Bravo! Bravo! – gritava ela, e seu entusiasmo fazia o herói casmurro retorcer-se na cadeira.

Depois, a grande dama na cadeira de rodas, a dama cujo casamento com o nobre local fizera obliterar-se no nome insignificante do marido o nome dela, que fora grande outrora, quando havia sarças e urzes onde atualmente se erguia a igreja – ela, tão desgraçada agora, que até seu corpo, deformado pela artrite, parecia um estranho animal noturno, quase extinto –, mesmo a grande dama bateu palmas e riu alto, com o súbito riso de um gaio assustado.

– Há-há-há – ria ela, agarrando os braços da sua cadeira de rodas com mãos nuas e retorcidas.

– *Festa de maio! Festa de maio!* – cantaram todos, aos gritos. – *Vamos dançar, vamos cirandar, é a festa de maio, a festa de maio!*

Não importavam as palavras ou quem cantava o quê.

Giravam e giravam, inebriados de música. Depois, a um sinal da srta. La Trobe atrás da árvore, a dança parou. Formaram um cortejo. A grande Elisa desceu de seu caixote de sabão. Suspendendo as saias com a mão, andando em passos largos, rodeada por seus duques e seus príncipes, seguida pelos amantes de braço dado, com Albert, o idiota da aldeia, entrando e saindo da fila, e o cadáver no seu catafalco fechando a procissão, o século elisabetano saiu de cena.

– Que o diabo os carregue! – gritou a srta. La Trobe, dando uma topada na raiz de uma árvore, num acesso de fúria.

Era o momento da queda; era o Intervalo. Quando, em casa, improvisara o roteiro, concordara em que se fizesse um intervalo naquele ponto; escravizada ao seu público – aos resmungos da sra. Sands por causa do chá ou do jantar –, interrompera o espetáculo nesse ponto. Quando conseguia atiçar as emoções, ela própria as deteriorava outra vez.

Por isso fez um sinal a Phyllis, que, em resposta, plantou-se novamente sobre a esteira no centro.

"*Cavalheiros e gente simples, dirijo-me a todos vós* (pipilou ela) *Concluímos nosso ato, a cena acabou. Foi-se o dia da anciã e dos amantes. A rosa floresceu; a flor tombou.*

Mas logo chegará uma nova aurora
Pois, vereis, o século do qual somos filhos
Reserva-nos o que vereis, o que vereis...".

Sua voz se extinguiu. Ninguém a escutava. Com as cabeças baixas, liam "Intervalo" no programa. E, interrompendo as palavras dela, o megafone anunciou num inglês coloquial:

– Intervalo. Meia hora para o chá. – Nisso, o gramofone berrou:

"*Armado contra o destino,*
O valente Rodrigo
Valente, armado,
Tonitruante e ousado,
Rejubilou com firmeza etc."

A plateia começou a agitar-se. Alguns ergueram-se bruscamente; outros se abaixaram para apanhar suas bengalas, chapéus, bolsas. E depois, quando se levantaram e afastaram, a música retornou, cantando: *"Dispersos estamos"*. E gemia: *"Dispersos estamos"*. E lamentava: *"Dispersos estamos"*, enquanto as pessoas se derramavam pelo gramado e pelas veredas, pondo manchas de cor na relva: *"Dispersos estamos"*.

***

A sra. Manresa apanhou o estribilho "Dispersos estamos". E prosseguiu:

– *Livres, ousados, sem temer ninguém* (afastou do caminho uma cadeira dobrável). *Mancebos e donzelas* (lançou um olhar para trás, mas Giles estava de costas para ela). *Sigam, sigam, sigam-me...* Oh, sr. Parker, que prazer ver o senhor aqui! Vou tomar chá.

– *Dispersos estamos* – cantarolou Isabella, seguindo-a. – *Tudo acabou; a onda quebrou-se e deixou-nos naufragados na praia seca. Isolados, apartados, sobre os seixos da praia. Foi interrompida a tríplice trama... Afora sigo...* (afastou sua cadeira. O homem de cinza perdera-se na multidão sobre os gramados) *A velha meretriz* (invocou a figura da sra. Manresa que andava à sua frente, garbosa e garrida) *vai tomar chá.*

Dodge ficou para trás, murmurando:

– Devo ir? Devo ficar? Escapar daqui por algum outro caminho? Ou seguir esse grupo que se dispersa?

"Dispersos estamos", estrondeava a música. *"Dispersos estamos"*. Giles permanecia como uma estaca em meio à torrente da multidão fluida.

– Seguir? – Ele afastou a cadeira para trás com um pontapé. – Seguir a quem? Para onde? – E enfiou na madeira seus leves sapatos de tênis. – Para lugar nenhum. Para lugar algum. – E ficou ali, sem se mover.

Nisso, sozinho debaixo da araucária, Cobbet, de Cobbs Corner, murmurou:

– Mas o que ela tem em mente, hein? O que está por trás disso, hein? O que a levou a revestir esse tema antigo com esse falso brilho, esse engodo, fazendo-os subir pelos intrincados ramos da araucária?

"Dispersos estamos", queixava-se a música. *"Dispersos estamos."* Virou-se e seguiu lentamente atrás do grupo que se afastava.

Tirando a bolsa de baixo do assento, Lucy chilreou para o irmão:

– Bart, querido, venha comigo... Lembra-se da peça que representávamos em nosso quarto, quando éramos pequenos?

Ele se lembrava. Era o jogo dos Peles-Vermelhas; um pedaço de bambu com um calhau envolvido num papel.

– Só que para nós, Cindy, minha velha, o jogo acabou – disse ele, apanhando o chapéu. Referia-se ao brilho, ao encanto, ao som do tambor. E ofereceu-lhe o braço. Afastaram-se devagar. E o sr. Page, o jornalista, anotou:

"A sra. Swithin, o sr. B. Oliver"; depois, voltando-se, acrescentou: "Lady Haslip, de Haslip Manor" quando viu a velha dama na cadeira de rodas empurrada pelo criado ao fim da procissão.

A plateia afastara-se, obedecendo ao que dizia o gramofone escondido nos arbustos: *"Dispersos"*, gemia, *"dispersos estamos..."*.

A srta. La Trobe emergiu do seu esconderijo. Por um momento reuniu num olhar todos os que fluíam e se derramavam... pela relva, pelo cascalho – todo o grupo que se dispersava. Não os fizera ver, durante vinte e cinco minutos? A visão partilhada é um alívio para a nossa agonia... por um instante... um instante só. A música lançou a última palavra, *dispersos*. Ela ouviu a brisa farfalhar nas ramagens. Viu Giles Oliver de costas para a plateia. Também Cobbet, de Cobbs Corner. E ela não os fizera ver. Fracasso, outro maldito fracasso! Como sempre. A visão lhe fugia.

Voltando-se, dirigiu-se para os atores, que agora se despiam na baixada, onde borboletas se deleitavam com as espadas de papel prateado, onde os tecidos baratos formavam poças amarelas na sombra. Cobbet pegou o relógio de bolso. Faltavam três horas para as sete; hora de regar as plantas. Virou-se.

Firmando a cadeira no entalhe certo, Giles também se virou, mas na direção oposta. Tomou o atalho pelo campo até o celeiro. Agora, no tempo seco de verão, o caminho estava duro como pedra através dos campos cultivados. No verão seco havia pedregulhos no chão. Ele foi chutando uma pedra amarela, afiada como se um selvagem a tivesse cortado para fazer uma ponta de flecha. Uma pedra dos bárbaros, pré-histórica. Chutar pedras era brinquedo de criança. Lembrava-se das regras: era preciso chutar uma pedra, sempre a mesma, até uma meta, que podia ser um portão ou uma árvore. Agora, jogava sozinho; tomou o portão como meta; tinha de atingi-lo em dez chutes. O primeiro foi para a sra. Manresa (luxúria). O segundo, para Dodge (perversão). O terceiro, ele próprio (covardia). E o quarto e o quinto e todos os outros foram a mesma coisa.

Atingiu a meta em dez chutes. Lá, aninhada na relva, enroscada num anel verde-oliva, havia uma cobra. Morta? Não, sufocada com um sapo na goela. A cobra não conseguia engolir; o sapo não conseguia morrer. Um espasmo contraiu as costelas dele; o sangue brotou num gorgolejo. Era um parto às avessas – uma inversão monstruosa. Então, erguendo o pé, esmagou-os. A massa achatou-se, escorregadia. A lona branca do tênis dele ficou manchada de sangue e gosma. Ao menos, porém, era uma ação. Agir deixou-o aliviado. Em passos largos dirigiu-se para o celeiro, com sangue nos sapatos.

O celeiro, o celeiro nobre, o celeiro construído há mais de setecentos anos, que lembrava a algumas pessoas um templo grego, a outras uma construção medieval, e à maioria pelo menos uma geração anterior à sua própria, e que raramente fazia alguém pensar no presente – o celeiro estava vazio.

As grandes portas, abertas. Uma faixa de luz descia espiralada do teto ao chão, como uma fita amarela. Guirlandas de rosas de papel, da festa da Coroação, pendiam das vigas. Numa das extremidades estendia-se uma longa mesa, sobre ela um samovar, pratos e xícaras, bolos, pão e manteiga. O celeiro estava vazio. Camundongos deslizavam furtivos para dentro e para fora de suas tocas ou se erguiam nas patinhas traseiras, mordiscando alguma coisa. Havia andorinhas ocupadas com fibras de palha nos ninhos de barro sobre as vigas. Incontáveis besouros e toda a sorte de insetos cavoucavam na madeira seca. Uma cadela vira-lata escolhera um canto escuro onde os sacos formavam um ninho para seus filhotes. Todos esses olhos, expandindo-se e estreitando-se, alguns adaptados à luz, outros às trevas, espreitavam de diferentes recantos e ângulos. Diminutos ruídos de coisas mordidas ou que farfalham rompiam o silêncio. Sopros de doçura e suculência perpassavam como se corressem nas veias do ar. Uma mosca azul pousara no bolo e enfiava a tromba curta na massa dourada. Uma borboleta banhava-se sensualmente ao sol sobre um prato amarelo.

A sra. Sands aproximava-se. Abria caminho na multidão. Dobrara a esquina do caminho. Podia ver a grande porta aberta. Mas não veria as borboletas; para ela, camundongos não passavam de trouxinhas pretas em gavetas de cozinha; as mariposas eram apanhadas na mão fechada e atiradas pela janela. Cadelas sugeriam apenas criadas de péssima conduta. Se houvesse um gato, ela o teria visto – qualquer gato, um gato faminto com a mancha de uma sarna no dorso abriria as comportas do seu coração de mulher sem filhos. Não havia gato, porém. O celeiro estava vazio. E assim, correndo, ofegando, ansiosa por alcançar o celeiro, assumindo seu posto junto ao samovar antes que os demais entrassem, ela chegou. A borboleta alçou voo, a mosca azul também.

Criadas e ajudantes seguiam-na correndo – David, John, Irene, Lois. A água fervia, soltando vapor. O bolo foi cortado. As andorinhas planavam de uma trave a outra. E o grupo todo entrou.

– Este belo celeiro antigo... – disse a sra. Manresa, parando no umbral. Não desejava tomar a frente dos aldeões. Comovida com a beleza do celeiro, queria permanecer imóvel, ficar de lado, contemplar tudo, e deixar que os outros chegassem primeiro.

– Temos um bastante parecido em Lathom – disse a sra. Parker, parando pelos mesmos motivos. – Talvez não tão grande – acrescentou.

Os aldeões pararam atrás delas; depois, hesitando, passaram.

– E a decoração... – disse a sra. Manresa, olhando em torno para ver a quem devia felicitar. Estava ali, imóvel, sorrindo, à espera. Nisso, entrou a velha sra. Swithin. Também ergueu os olhos, contemplando, mas não a decoração. Aparentemente, via as andorinhas.

– Elas vêm todo o ano – disse. – Sempre os mesmos pássaros.

– A sra. Manresa deu um sorriso benevolente, divertida com a ilusão da velha dama. *É improvável que sejam os mesmos pássaros*, pensou.

– Imagino que a decoração tenha sobrado da festa da Coroação – disse a sra. Parker. – Também guardamos a nossa. Construímos um salão de festas na aldeia.

A sra. Manresa riu. Lembrava-se de uma anedota, que estava na ponta da língua, a respeito do banheiro público construído para celebrar a mesma ocasião, e de como o prefeito... Poderia contá-la? Não. A velha dama que olhava fixamente as andorinhas parecia fina demais. *Refinada*, pensou a sra. Manresa, tirando vantagem da palavra para confirmar o quanto se aprovava a si mesma como pessoa livre, cuja natureza era "simplesmente natureza humana". Conseguia compreender o "refinamento" da velha dama e também o que havia de engraçado naquele rapaz... onde estava aquele Giles tão simpático? Não conseguia avistá-lo, nem a Bill. Os aldeões ainda se achavam um pouco afastados. Alguém precisaria iniciar o avanço.

– Bem, estou morrendo por um chá! – exclamou ela e adiantou-se em grandes passos. Apanhou um grosso caneco de porcelana. A sra. Sands, naturalmente dando preferência a uma mulher da classe alta, encheu-o logo. David entregou-lhe um pedaço de bolo. Foi ela a primeira a beber e a comer. Os aldeões ainda se achavam um pouco atrás. "É assim que entendo a democracia", concluiu ela. A sra. Parker pensava do mesmo modo e também pegou seu caneco. As pessoas as contemplavam. Elas dirigiam; os demais seguiam.

– Que chá delicioso! – exclamaram todos, embora estivesse repulsivo, como se houvessem fervido água enferrujada; e aqueles bolos cobertos de moscas... Mas precisavam cumprir o dever para com a sociedade.

– Vêm todos os anos – disse a sra. Swithin, ignorando o fato de estar falando para o ar vazio. – Da África. – Da mesma forma, imaginava ela, que vinham quando o celeiro ainda era um charco.

O celeiro encheu-se. Vapores fumegavam. Ouvia-se o tilintar da porcelana; e vozes tagarelando. Isa abriu caminho até a mesa.

– *Dispersos estamos* – murmurou. E estendeu sua xícara para ser enchida. Recolheu-a novamente.

– *Deixem-me sair* – murmurou, olhando em torno –, *sair do círculo de rostos de porcelana* – parecia desolada – *duros e vítreos. Descerei a alameda que passa sob a nogueira e a primavera, até chegar à fonte dos desejos, onde o filho da lavadeira deixou cair um alfinete* – deixou cair dois torrões de açúcar no chá. – *Dizem que conseguiu seu cavalo. Mas que desejo eu deveria cumprir na fonte?* – Olhou em torno. Não conseguia ver o homem de cinza, o fazendeiro nobre, nem qualquer pessoa conhecida. – *As águas da fonte dos desejos hão de me cobrir* – acrescentou.

O ruído da porcelana e das conversas abafou seu murmúrio.

– Açúcar? – diziam. – Uma gota de leite? E você?

– Chá sem leite nem açúcar. É assim que gosto.
– Um pouco forte demais? Deixe-me colocar água.
– *Foi isso que desejei quando joguei meu alfinete na fonte* – acrescentou Isa. – *Água. Água...*
– Devo dizer que foi muito corajoso da parte do rei e da rainha – pronunciou uma voz atrás dela. – Disseram que vão à Índia. Ela parece tão simpática. Alguém que conheço me contou que o cabelo dele...
– *Quando chegasse o tempo das folhas mortas, a folha cairia na água* – refletia Isa. – *Eu ficaria triste por não ver mais a nogueira e a primavera? Por não ouvir mais o tordo cantar na trêmula haste das flores, ou ver o pica-pau-amarelo tombar e mergulhar como se singrasse ondas no ar?*

Ela contemplava as guirlandas amarelo-canário que haviam sobrado da festa da Coroação.

– Pensei que tivessem falado em Canadá, não Índia – disse a voz às suas costas. E outra voz respondeu:
– Acredita no que dizem os jornais? Por exemplo, as coisas sobre o Duque de Windsor. Ele desembarcou na costa sul. A rainha Mary foi ao encontro dele. Ela andou comprando móveis, essa é que é a verdade. E os jornais dizem que ela o encontrou...

– *Sozinha debaixo de uma árvore, da árvore ressequida que murmura o dia inteiro falando do mar e ouve o galope do Cavalheiro...*

Isa concluiu a frase, depois sobressaltou-se. William Dodge estava ao seu lado.

Os dois sorriram; eram cúmplices, cada um murmurando uma dessas canções que um tio lhes ensinara.

– É a peça – disse ela. – Continua a se desenrolar na minha cabeça.

– *Ave, doce Caríntia. Meu amor. Minha vida* – citou ele.

– *Meu senhor, meu soberano.* – Ela fez uma mesura irônica.

Era uma bela mulher. Ele não queria vê-la diante do samovar; com seus olhos de vidro verde e seu corpo robusto, o pescoço maciço como um pilar, queria vê-la junto de um copo de leite ou de uma vinha. Desejou que ela dissesse: "Venha comigo. Vou lhe mostrar a estufa, o chiqueiro, o estábulo". Mas ela não falou nada, e ficaram ali parados, segurando suas xícaras, recordando a peça. Depois, ele viu o rosto dela transfigurar-se, como se despisse um vestido e pusesse outro. Um menino abriu caminho com dificuldade por entre a multidão, batendo os braços contra saias e calças como se nadasse às cegas.

– Aqui! – gritou ela, erguendo o braço.

Ele veio em sua direção. Era o seu filho, o seu George. Ofereceu-lhe uma fatia de bolo; depois, um caneco de leite. Chegou então a babá. Depois, mais uma vez, Isabella mudou de traje. Pela expressão de seus olhos, via-se que agora punha uma camisa de força. Belo, cabeludo, másculo, o homem de casaco azul com botões de metal, parado sob um jorro de luz poeirenta: o marido dela. E ela, a mulher dele. Como William constatara durante o almoço, as relações entre ambos eram o que os romances chamam de "tensas". Durante a peça, notara que o braço dela se erguia nervosamente até o ombro quando se voltava para olhar – para quem? Mas ali estava o marido: e o que nele havia de musculoso, cabeludo e másculo mergulhou-o em emoções das quais sua mente não participava. Esqueceu-se de como ela ficaria diante de uma vinha numa estufa. Agora, olhava apenas para Giles, olhava e olhava. Em quem pensaria ele, com o rosto virado? Não em Isa. Na sra. Manresa?

* * *

A Sra. Manresa tomara sua xícara de chá no meio do celeiro. "Como me livrar da sra. Parker?", pensava. O quanto a aborreciam as pessoas da sua própria classe e do seu próprio sexo! Não as da classe abaixo da sua – cozinheiras, balconistas, mulheres de fazendeiros; nem as da classe superior – condessas, aristocratas. Eram as mulheres da sua classe que a entediavam. E ela se afastou bruscamente da sra. Parker.

– Ah, sra. Moore – disse à esposa do capataz. – O que achou da peça? E seu bebê? – Beliscou a criança. – Achei tudo tão bom quanto o que tenho em Londres... Mas não deixaremos que nos superem. Também faremos uma representação. No nosso celeiro. Vamos mostrar a eles (ela fez um aceno oblíquo para a mesa; tantos bolos comprados, tão poucos feitos em casa) como nós fazemos as coisas.

Depois, virou-se, interrompendo as brincadeiras; viu Giles; captou seu olhar; fez-lhe um sinal implorativo. Ele aproximou-se. Mas – ela baixou o olhar – o que acontecera com seus sapatos? Manchados de sangue. Sentiu-se vagamente lisonjeada, adivinhando que ele provara sua coragem para que ela o admirasse. Era vago, mas doce. Incluindo-o em suas fantasias, sentiu: Sou a rainha; ele, o meu herói, meu herói casmurro.

– Ora, a sra. Neale! – exclamou. – A senhora é uma mulher absolutamente maravilhosa, não é? A sra. Neale dirige a agência dos Correios. Sabe somar de cabeça, não sabe, sra. Neale? Vinte e cinco selos de meio pêni, dois maços de envelopes selados e um de cartões-postais... quanto dá tudo isso, sra. Neale?

A sra. Neale soltou uma risada; a sra. Manresa também. Giles sorriu e baixou o olhar para seus sapatos.

A sra. Manresa impelia-o pelo celeiro, de um lado para outro, de uma pessoa a outra. Conhecia todo mundo. Todos eram gente muito boa. Não, ela não admitiria, por um momento sequer, que Pinsent estivesse impedido pela perna doente.

– Não, não aceitaremos essa desculpa, Pinsent.

Se ele não pudesse jogar boliche, poderia ficar na defesa, no críquete. Giles concordou. Um peixe no anzol significava a mesma coisa para ele e Pinsent; bem como gaios e pegas. Pinsent permanecera no campo; Giles trabalhava num escritório. Era tudo. E ela era uma boa mulher, andando com ele pelo celeiro, fazendo-o sentir-se menos espectador e mais ator.

Depois, junto da porta, encontraram o velho casal de irmãos, Lucy e Bartholomew, sentados em suas cadeiras Windsor.

Havia lugares reservados para eles. A sra. Sands mandara servir-lhes o chá: teria causado mais problemas seguir o princípio democrático de ficar entre a multidão junto da mesa.

— Andorinhas — disse Lucy, segurando a xícara e contemplando os pássaros. Excitados com o movimento, esvoaçavam de uma viga a outra. Tinham vindo pela África e atravessado a França para fazerem ali seus ninhos. Vinham ano após ano. Mesmo antes de existir um canal, quando a terra sobre a qual haviam colocado a cadeira Windsor era uma só confusão de rododendros e os beija-flores fremiam nas corolas das flores escarlates, conforme ela acabara de ler naquela manhã em seu compêndio de História... Bart ergueu-se da cadeira.

A sra. Manresa, porém, recusou-se decididamente a tomar o seu lugar.

— Fique sentado, fique sentado — disse, empurrando-o delicadamente de volta. — Vou me sentar no chão. — E abaixou-se. O cavalheiro casmurro ficou junto dela, vigilante.

— O que acharam da peça? — indagou.

Bartholomew contemplou o filho. O filho permaneceu em silêncio.

— E a sra. Swithin o que achou? — a sra. Manresa insistia numa resposta.

Lucy murmurou qualquer coisa, olhando as andorinhas.

— Eu esperava que me dissessem — comentou a sra. Manresa.

— É uma peça antiga ou recente?

Ninguém respondeu.

— Olhem! — exclamou Lucy de repente.

— Os pássaros? — A sra. Manresa ergueu os olhos. Havia um pássaro com uma palha no bico, e a palha caiu.

Lucy bateu palmas. Giles virou-se para outro lado. Ela zombava dele, como de costume, dando risadas.

— Já vai? — perguntou Bartholomew — Está na hora do próximo ato?

E ergueu-se penosamente da cadeira, afastando-se também, sem dar atenção à sra. Manresa ou a Lucy.

– *Andorinha, minha irmã. Oh, irmã andorinha* – murmurava, pegando no bolso a caixa dos charutos e seguindo o filho.

A sra. Manresa estava constrangida. Afinal, para que se sentara no chão? Acaso se extinguiam seus encantos? Os dois homens afastavam-se. Contudo, sendo mulher de ação, abandonada pelo sexo oposto, não ficaria junto da velha dama, torturando-se de tédio. Ergueu-se, levando as mãos aos cabelos como se já estivesse atrasada, embora esse não fosse o caso e os cabelos estivessem perfeitos. Cobbet, no seu canto, percebeu o pequeno jogo. No Oriente, aprendera a conhecer a natureza humana. Era a mesma do Ocidente. As plantas, porém, lhe serviam de consolo – cravos, zínias e gerânios. Automaticamente, consultou o relógio; lembrou-se de que era preciso regar suas plantas às sete; e observou o pequeno jogo da mulher seguindo o homem para a mesa, fazendo no Ocidente o mesmo que se fazia no Oriente.

Junto à mesa, conversando com a sra. Parker e Isa, William observou-o aproximar-se. Armado e valente, firme e tonitruante – a canção popular passou-lhe pela cabeça. E os dedos da mão esquerda de William fecharam-se firmes, sub-reptícios, enquanto o herói se aproximava mais.

A sra. Parker, em voz baixa, queixava-se a Isa por causa do idiota da aldeia.

– Ora, aquele idiota! – dizia. Contudo, imóvel, Isa observava o marido. Podia sentir a presença da sra. Manresa nos calcanhares dele. Podia ouvir a explicação habitual na penumbra do seu quarto de dormir. Não importava a infidelidade dele. Era a dela, sempre, que importava.

– O idiota? – William respondeu no lugar de Isa. Faz parte da tradição.

– Mas claro – disse a sra. Parker, e contou a Giles que a presença do idiota lhe dera arrepios. – Temos um na nossa aldeia também. Mas certamente nós hoje somos mais civilizados, não?

– Nós? – disse Giles. – Nós? – E olhou uma vez para William. Não sabia o nome dele; sabia, porém, o que fazia sua mão esquerda. Era um golpe de sorte poder desprezar o outro em vez de desprezar a si mesmo. Também à sra. Parker. Isa não. Não podia desprezar sua mulher. Ela ainda não lhe dirigira uma única palavra. Nem lhe lançara um só olhar.
– Claro – disse a sra. Parker, olhando de um para outro –, claro que somos mais civilizados, não?

Então Giles fez o que Isa julgou ser um pequeno truque; cerrou os lábios, franziu a testa, e assumiu a postura de quem carrega o peso de todos os males do mundo, obrigado a ganhar dinheiro para a mulher esbanjar.

– Não – disse Isa da maneira mais direta possível. – Não admiro você – e não olhou para o rosto dele, mas para os sapatos.

– Menino bobo, com sangue nos sapatos.

Giles remexia os pés. A quem então ela admiraria? Não a Dodge, era certo. Quem mais? Algum homem que ele conhecia. Estava certo de que se tratava de algum homem no celeiro. Qual? Olhou em torno.

Nisso, apareceu o clérigo, sr. Streatfield, trazendo xícaras.

– Estou com as mãos ocupadas, por isso vou cumprimentá-los com o coração! – exclamou, balançando a bela cabeça grisalha, e colocou cuidadosamente sua carga na mesa.

A sra. Parker recebeu o tributo como se fosse só dela.

– Sr. Streatfield! – exclamou. – Fazendo sozinho todo esse trabalho! E nós aqui parados, falando da vida alheia!

– Gostaria de dar uma olhada na estufa? – perguntou Isa subitamente, virando-se para William Dodge.

Ele quis gritar: "Não, agora não"! Teve, porém, de seguir com ela, deixando Giles cumprimentar a sra. Manresa, que se aproximava e dominava todos os seus pensamentos.

* * *

O caminho era estreito. Isa seguia na frente. Era mulher graúda, praticamente ocupava toda a vereda, oscilando de leve ao andar, colhendo aqui e ali uma folha da sebe.

– *Voai, voai* – cantarolava –, *seguindo os rebanhos malhados que brincam no bosque de cedros, o cervo e a corça, pardos e vermelhos. Voai, parti, que eu fico, solitária e sofrida, colhendo a hera amarga no muro em ruínas, o muro do cemitério, esmagando nos dedos sua longa folha cinzenta, tão doce, tão amarga, tão doce, tão amarga...*

Jogou fora a tira de musgo que colhera ao passar e com um pontapé abriu a porta da estufa. Dodge vinha um pouco atrás. Enquanto aguardava, ela apanhou uma faca de uma prateleira. Ele a viu parada com a faca na mão diante do vidro esverdeado, da figueira e da hortênsia azul.

Isa ainda cantarolava:

– *Ela falou, e do vale nevado dos seios tirou a lâmina brilhante.* "Lâmina, enfia-te no meu peito!" gritou, e deu o golpe. "Infiel!" exclamou então, "também tu, lâmina, és infiel! O punhal partiu-se como o meu coração!"

Quando Dodge se aproximou, Isa sorria ironicamente.

– Eu queria que a peça não ficasse o tempo todo girando na minha cabeça – comentou.

Depois sentou-se num banco de tábuas sob a videira. Ele sentou-se ao lado. As pequenas uvas acima de suas cabeças não passavam de diminutos botões verdes entre folhas amarelas e translúcidas como a membrana entre os dedos das aves.

– Ainda pensando na peça? – perguntou ele. Isa fez que sim.

– Aquele menino no celeiro era seu filho?

Ela contou que também tinha uma filha, ainda de berço.

– E você – perguntou Isa. – Casado? – Pelo tom de sua voz ele viu que ela adivinhava tudo, como só as mulheres sempre adivinham. Sabiam logo quando não havia o que temer ou o que esperar. No começo, ressentiam-se de terem de se fingir de estátuas numa estufa. Depois, acabavam gostando. Aí então podiam, como Isa agora, dizer tudo o que lhes viesse à cabeça. E entregar uma flor, assim como Isa agora lhe entregava uma.

– Eis aqui algo para a lapela do seu casaco, sr. ... – disse, oferecendo-lhe um ramo de gerânio de aroma intenso.

– ... Meu nome é William – disse ele, pegando a folha veludosa e apertando-a entre o indicador e o polegar.

– O meu é Isa – respondeu. E puseram-se a conversar como velhos companheiros, o que não deixava de ser estranho, pois conhecera-o uma hora atrás, comentou ela, como talvez todas as mulheres costumassem fazer. Acaso não eram cúmplices, ambos buscando algo por trás dos rostos secretos? Depois de confessar isso, ela fez uma pausa e, como as mulheres sempre faziam, ponderou se seria correto falarem tão abertamente um com o outro. E acrescentou:

– Talvez porque nunca nos vimos antes e nunca nos veremos mais.

– A fatalidade da morte súbita pendendo sobre nossas cabeças – disse ele. – Não há como fugir ou avançar. Ele pensava na velha dama que lhe mostrara a casa. – Nem para nós, nem para eles.

O futuro sombreava o presente, como o sol varando a folha de videira, translúcida e perpassada de pequenas veias, numa confusão de linhas sem desenho certo.

Tinham deixado aberta a porta da estufa e agora ouviam música. Lá, si, dó, lá, si, dó, lá, si, dó... Alguém praticava escalas. Palavras chegavam até eles. Era uma melodia muito simples, como uma canção de ninar:

"O rei na sala do tesouro
Contando seu ouro,
A rainha em seu quarto,
Pão e mel no prato".

Ficaram à escuta. Outra voz, uma terceira voz, dizia algo também muito simples. E eles estavam sentados no banco de tábuas, na estufa, com a videira sobre suas cabeças, ouvindo a srta. La Trobe, ou seja lá quem fosse, exercitando escalas ao piano.

***

O velho Bartholomew não conseguia encontrar o filho. Perdera-o em meio à multidão. Então saiu do celeiro e foi para o quarto, o charuto na mão, resmungando:
"*Ó irmã andorinha, Ó irmã andorinha, Como pode teu coração estar tão cheio de primavera?*".
– Como pode meu coração estar tão cheio de primavera? – disse em voz bem alta, parado diante do armário de livros. Livros: o precioso sangue dos espíritos imortais. Poetas, legisladores da humanidade. Sem dúvida, era isso. Giles, no entanto, andava infeliz.
– Como pode, como pode meu coração... – repetiu o velho, tirando uma baforada do charuto. – *Condenados na mina infernal desta vida, na solidão de uma alma perdida...* – Mãos nos quadris, postava-se diante da sua biblioteca de senhor rural. Garibaldi; Wellington; Relatórios da Secretaria de Irrigação; Hibbert e as Enfermidades dos Equinos. O espírito recolhera uma enorme safra; contudo, em comparação com seu filho, tudo aquilo não valia um tostão.
– De que adianta, de que adianta? – desabou na sua poltrona, murmurando: – *Ó irmã andorinha. Ó irmã andorinha, como podes entoar tua canção?*
O cão que o seguira acomodou-se no chão a seus pés.
Flancos inflando e desinflando, o longo focinho repousado sobre as patas, um floco de espuma nas narinas, ali estava aquele espírito familiar, o seu cão afegane.
A porta moveu-se de leve, ficou entreaberta. Era a maneira de Lucy entrar, como se nunca soubesse o que poderia encontrar. Ora! Era mesmo o irmão! E o cachorro dele! Parecia vê-los pela primeira vez na vida. Acaso Lucy não possuía corpo? Sempre lá em cima nas nuvens, como um balão, seu pensamento tocava o solo uma ou outra vez, de súbito, com um choque de surpresa. Não havia nela nada que prendesse à terra um homem como Giles.

Ela pousou na beira de uma poltrona, como um pássaro num fio de telégrafo antes de partir para a África.

– *Andorinha, minha irmã. Ó, irmã andorinha...* – murmurou ele.

Do jardim – a janela estava aberta – vinha o som de alguém exercitando-se em escalas ao piano. Lá, si, dó. Lá, si, dó. Lá, si, dó. Depois, uma frase musical completa. Era uma melodia muito simples, outra voz falava agora:

"*Ouçam, ouçam, os cães todos latem*
Mendigos à nossa porta batem...".

Em seguida, a música fez-se mais lenta, mais lânguida, tornou-se uma valsa. Enquanto escutavam e contemplavam, as árvores movendo-se e os pássaros girando no ar, lá fora no jardim, pareciam abandonar sua vida própria, seus destinos individuais e participar da valsa.

"*A lâmpada do amor arde no alto, sobre os bosques de cedro*
A lâmpada do amor arde e rebrilha, clara como estrela no céu".

O velho Bartholomew tamborilava os dedos no joelho, ao ritmo da melodia.

"*Deixai vossa janela e vinde, bela dama,*
Eu vos amarei até morrer...".

Ele fitou sarcasticamente a irmã Lucy, pousada na poltrona. *Como era possível*, pensou, *que essa mulher tivesse gerado filhos?*

"*Pois todos dançam, recuam, avançam – A mariposa e a libélula dançam...*".

Sem dúvida, refletiu ele, Lucy está pensando que Deus é a paz. Deus é o amor. Pois ela era dos que unem; ele, dos que separam.

Depois, sem sair do lugar, a melodia tornou-se insípida, açucarada; cavava um buraco, com aquele chamado a uma devoção sem fim. Ele não entendia nada de música: teriam passado para um tom menor?

"*Pois este dia e esta dança e este alegre mês de maio*
Terão passado. (Ele tamborilava com o indicador no joelho.)
Quando ceifarem o trevo a dança terá acabado.

(Tudo parecia girar fora de órbita)
E o inverno lançará seus dardos de gelo
E o inverno, oh, o inverno
Encherá de cinzas o borralho
E não haverá mais chamas na minha lareira."
Ele bateu a cinza do charuto e levantou-se.
– Sim – disse Lucy –, precisamos ir. – Foi como se ele próprio tivesse dito em voz alta: "Precisamos ir".

***

A plateia reunia-se outra vez. A música os chamava. Novamente derramavam-se pelas veredas, pelos gramados. A sra. Manresa vinha com Giles ao lado, encabeçava a procissão. Seu xale inflava-se nos ombros em curvas cheias. A brisa soprava mais forte. Atravessando a relva ao som do gramofone, parecia uma deusa, uma divindade, flutuante, abundante, uma cornucópia a transbordar. Atrás, Bartholomew abençoou o poder que o corpo humano tem de fecundar a terra. Giles se manteria em sua órbita enquanto a sra. Manresa o puxasse para a terra. Ela agitava até mesmo as águas estagnadas do velho coração de Bartholomew – onde só havia ossos sepultados; as libélulas, porém, disparavam no ar e a relva tremulava quando a sra. Manresa atravessava o gramado ao som do gramofone.

Pés esmagavam o cascalho. Vozes tagarelavam. E a voz interior, a outra voz, dizia: "Como podemos negar que, brotando dos arbustos, essa brava música exprime uma harmonia interna?". Alguns pensavam: "Quando acordamos, o dia nos fere com suas marteladas violentas". Outros pensavam: "O trabalho nos separa. Dispersos, desfeitos, reunidos depois pelo som da sineta. Trim, trim, trim, toca o telefone. 'Sim, o que deseja?' E respondemos às ordens infernais, seculares, eternas, enviadas do alto. Obedecemos. Trabalhando, servindo, empurrando, puxando, ganhando nossos salários... para gastarmos aqui? Oh, Deus, não! Para gastarmos agora? De modo algum. Para gastarmos quando os ouvidos estiverem surdos e o coração ressequido".

Nisso, Cobbet, de Cobbs Corner, que parara, porque vira uma flor, foi empurrado pelas pessoas que vinham atrás.

Pois estamos ouvindo música, diziam. A música nos impele. A música nos faz ver o que está oculto e juntar o que está separado. Olhem, escutem. Vejam as flores, com os raios de suas pétalas rubras, alvas, prateadas e azuis. E as árvores com suas muitas línguas sussurrando sílabas, folhas verdes e amarelas apressando-nos, empurrando-nos, forçando-nos a nos juntarmos como bandos de estorninhos ou de gralhas, para formarmos um grupo que conversa e se diverte enquanto a vaca marrom avança e a vaca negra permanece imóvel.

A plateia chegou a seus lugares. Alguns sentaram-se; outros detiveram-se por um momento, viraram-se e contemplaram a paisagem. O palco estava vazio; os atores ainda se vestiam entre os arbustos. Os presentes viraram-se uns para os outros e puseram-se a conversar. Farrapos e fragmentos chegavam aos ouvidos da srta. La Trobe, parada com o manuscrito na mão atrás de uma árvore.

– Não estão prontos (diziam as pessoas)... Posso ouvir as risadas deles... Estão se vestindo. É a melhor parte, vestir as fantasias. E agora está agradável, o sol não está mais tão quente... Esse é um benefício que a guerra nos trouxe... dias mais longos... Onde tínhamos ficado? Você lembra? No período elisabetano... Talvez a peça chegue até o presente, saltando um pedaço ou outro... Você achava que as pessoas fossem mudar? De roupas, quero dizer... Mas eu me referia a nós... Limpando um armário encontrei o velho chapéu de meu pai... mas, e nós... será que mudamos?

– Não, não ligo para políticos. Tenho um amigo que andou na Rússia, e ele diz... Minha filha, que acaba de voltar de Roma, disse que o povo simples, o dos cafés, odeia os ditadores... Bem, pessoas diferentes dizem coisas diferentes...

– Você viu nos jornais... o caso do cachorro? Consegue imaginar que um cachorro possa parir cachorrinhos? E a rainha Mary e o duque de Windsor na costa sul... Você acredita nos jornais? Eu sempre pergunto isso ao açougueiro ou ao dono do armazém... Lá vai o sr. Streatfield carregando um cavalete... Creia que esse bom clérigo faz mais trabalho por menos dinheiro do que todo o resto do bando... São as esposas que dão problemas.
– E que tal os judeus? Os refugiados... os judeus... Gente como nós, tendo de recomeçar tudo de novo... Mas é sempre a mesma coisa... Minha velha mãe, que tem mais de oitenta anos, ainda se lembra... Sim, ela ainda lê sem óculos... É uma graça! Bem, eles não dizem que depois dos oitenta... Estão chegando... Não, não é nada... Acho que devia haver alguma punição por causa dessa confusão toda. Mas, diz meu marido, quem recolheria as multas? Ah, ali está a srta. La Trobe, ali, atrás daquela árvore.

* * *

Ali, atrás daquela árvore, a srta. La Trobe rangia os dentes. Amassava o manuscrito. Os atores atrasavam-se. A cada momento a plateia se desinteressava mais, fragmentava-se como em pequenas lascas.
– Música! – ela sinalizou. – Música!
– Qual a origem da expressão "estar com a pulga atrás da orelha"? – quis saber uma voz.
A voz dela soou peremptória:
– Música, música – sinalizava.
E o gramofone começou: lá, si, dó, lá, si, dó...
"O rei na sala do tesouro
Contando seu ouro,
A rainha em seu quarto,
Pão e mel no prato...".
A srta. La Trobe observou-os mergulhando apaziguados na cantiga de ninar. Viu-os cruzando as mãos e compondo os rostos. Depois, deu um sinal. Por fim, com um último toque no

penteado que causara muitos problemas, Mabel Hopkins emergiu dos arbustos e assumiu seu posto numa elevação do terreno, voltada para a plateia.

Os olhares devoraram-na como um peixe que se ergue sobre as águas para pegar uma migalha de pão. Quem era? O que representava? Era linda... O rosto estava empoado; a pele reluzia macia e limpa sob a camada de pintura. O vestido de cetim cinza (uma colcha de cama) pregueado conferia-lhe a majestade de uma estátua. Trazia um cetro e um pequeno globo. Seria a Inglaterra? A rainha Ana? Quem era, afinal? No começo, falou baixo demais; só ouviram:

"... a Razão impera".

O velho Bartholomew aplaudiu, gritando:

– Muito bem! Muito bem! Bravo!

Encorajada, a Razão começou a recitar:

"*Apoiado em sua foice, o Tempo para, atônito, enquanto o Comércio despeja em sua cornucópia o tributo variado de seus minerais. Nativos transpiram em minas distantes; e forma-se o pote colorido, com argila retirada da terra relutante. Ouvindo minhas ordens, o guerreiro armado depõe o escudo; o pagão esquece o altar fumegante dos sacrifícios ímpios. A violeta e a madressilva entrelaçam seus ramos sobre a terra fendida. O peregrino já não teme a serpente venenosa. E abelhas amarelas fabricam o mel dentro dos elmos abandonados*".

Fez uma pausa. Uma longa fila de aldeões vestidos em sacos de aniagem passava, entrando e saindo das árvores atrás dela.

"*Cavando e revolvendo, arando e semeando,* cantavam; o vento, porém, dispersava as palavras.

Sob a proteção de minhas amplas vestes (recomeçou ela, estendendo os braços) *desenvolvem-se as artes. Por minha causa a música desdobra suas harmonias celestiais. Por minha ordem o avaro deixa intactos seus tesouros; em paz a mãe contempla os filhos brincarem...*

Os filhos brincarem... repetiu e, agitando o cetro, chamou vultos que emergiram do arbustos.

Mancebos e ninfas, apresentem seu espetáculo enquanto Zéfiro dorme e as tribos rebeldes do Céu reconhecem meu poder.

O gramofone tocou uma alegre música antiga. O velho Bartholomew acompanhou-a, tamborilando com os dedos; a sra. Manresa alisou as saias sobre os joelhos.

O jovem Damon disse a Cíntia
Venha, querida, com a madrugada,
Vista seu traje azul
Esqueça suas preocupações
Pois a paz chegou à Inglaterra
E a Razão agora impera.
Que prazeres nos aguardam, sonhando
Quando o dia é verde e azul?
Esqueça suas preocupações.
Passou a Noite: eis o Dia.

Cavando e revolvendo, cantavam os aldeões, passando enfileirados para dentro e para fora das árvores, *pois a terra é sempre a mesma, verão, inverno e primavera; e primavera e inverno novamente; arando e semeando, comendo e crescendo; assim o tempo passa...*".

O vento dispersava as palavras.

A dança cessou. Ninfas e mancebos afastaram-se. A Razão permanecia sozinha no centro do palco. Braços abertos, vestes ondulando, segurando orbe e cetro, Mabel Hopkins parava, sublime, o olhar dirigido por cima das cabeças da plateia que a fitava de olhos arregalados. Ela os ignorava. Depois, enquanto ainda se achava ali, o olhar fixo, ajudantes saíram dos arbustos, arranjando em torno dela algo como três paredes de uma sala. No meio, instalaram uma mesa. Sobre a mesa arrumaram um serviço de chá em porcelana. Das alturas de sua majestade, a Razão vigiava imperturbável a cena doméstica. Fez-se uma pausa.

– Outra cena, de outra peça, suponho – disse a sra. Elmhurst, conferindo no programa. E leu alto, para ajudar o marido que era surdo: – *Onde há uma vontade, há sempre um meio de cumpri-la.* É o título da peça. E os personagens... – Ela foi lendo: – Lady

Harpy Harraden, apaixonada por sir Spaniel Lilyliver. Deb, sua criada. Flavinda, sua sobrinha, apaixonada por Valentino. Sir Spaniel Lilyliver, apaixonado por Flavinda. Sir Smirking-a-Paz--Esteja-convosco, sacerdote. Lorde e lady Fribble. Valentino, apaixonado por Flavinda. Que nomes para pessoas verdadeiras! Veja... estão chegando!

Ali vinham eles, saindo dos arbustos – homens de coletes floridos, coletes brancos e sapatos afivelados; mulheres com brocados arrepanhados e drapeados; estrelas de vidro, fitas azuis e pérolas falsas faziam-nas parecer a personificação de Lordes e Ladies.

– A primeira cena é no quarto de vestir de lady Harraden – sussurrou a sra. Elmhurst no ouvido do marido. – Ei-la... – apontou com o dedo. – Parece que é a sra. Otter, de End House; está magnificamente vestida. E aquela é Deb, a criada. Não sei quem representa esse papel.

– Psiu, psiu – protestou alguém.

A sra. Elmhurst largou o programa. A peça começara. Lady Harpy Harraden entrara no seu quarto de vestir, acompanhada pela criada Deb.

LADY H.H.: *Dê-me o estojo de pó. E o sinal de beleza para o rosto. Alcance-me o espelho, menina. Isso. Agora, minha peruca... Mas, que diabo... Você está sonhando?*

DEB: *Senhora, eu estava pensando no que o cavalheiro disse quando a viu no Parque.*

LADY H.H. (fitando o espelho): *Ah... E o que foi? Alguma tolice certamente! A flecha do Cupido... Há, há, há! Cupido acendendo sua tocha na luz dos meus olhos... Ah! Isso foi no tempo de Milorde, há vinte anos... Mas agora. O que dirá de mim agora?* (Olha no espelho.) *Sir Spaniel Lilyliver, é claro...* (Batem à porta.) *Ouça! A carruagem dele está à porta. Corra, menina! Não fique aí parada de boca aberta!*

DEB (indo até à porta): *Ele vai sacudir a língua como o jogador sacode dados num copo. E não encontrará palavras que combinem com a senhora. Ficará como um porco num cercado. Sir Spaniel, sua criada.*

(Entra sir Spaniel.)
SIR S.L.: *Saudações, minha bela santa! Acordada tão cedo? Quando vinha pela alameda, o ar pareceu-me mais luminoso do que o habitual. Agora vejo a razão disso... Vênus, Afrodite, uma galáxia, uma constelação! E, como sou um pecador, para mim a senhora é a verdadeira Aurora Boreal!*
(Ele tira o chapéu num gesto largo.)
LADY H.H.: *Oh, bajulador, bajulador! Conheço sua maneira de falar. Mas venha. Sente-se... Um copo de Aqua Vitae. Sente-se aqui, sir Spaniel. Tenho algo muito especial e particular a lhe dizer... Recebeu minha carta?*
SIR S.L.: *Trago-a presa ao meu coração!*
(Ele leva a mão ao peito.)
LADY H.H.: *Tenho um favor a lhe pedir, senhor.*
SIR S.L. (cantando): *"Que favor poderia a bela Cloé pedir que Damon não cumprisse?" Mas esqueçamos os versos. Versos sempre são falsos. Falemos em prosa. O que deseja Asfódela de seu servo Lilyliver? Fale, Madame. Um macaco com um anel no nariz ou um jovem vigoroso que fale sobre nós quando já não estivermos aqui para contarmos a verdade sobre nós mesmos?*
LADY H.H. (agitando o leque): *O senhor me faz enrubescer, sir Spaniel... Realmente. Chegue mais perto.* (Empurra sua cadeira para mais junto dele.) *Não quero que nos ouçam.*
SIR S.L. (falando para o lado): *Mais perto dela? O diabo que a leve. Essa velha bruxa cheira mal como um arenque metido de cabeça para baixo num tonel!* (Em voz alta): *O que estava dizendo, Madame?*
LADY H.H.: *Sir Spaniel, tenho uma sobrinha chamada Flavinda.*
SIR S.L. (de lado): *Ora, é a jovem a quem amo!* (Alto)
A senhora tem uma sobrinha, Madame? Parece que já ouvi falar nisso. É órfã, filha do seu irmão, Madame, assim me contaram... E ficou sob seus cuidados. O pai morreu no mar.
LADY H.H.: *Essa mesmo, senhor. Agora, atingiu a maioridade, está em tempo de casar. Guardei-a tão bem como uma crisálida,*

envolta nos mantos da virgindade. *Só criadas ao seu redor, jamais um homem que eu saiba, exceto Clout, o lacaio, que tem verruga no nariz e a cara toda enrugada.* Acontece, porém, que um tolo qualquer apaixonou-se por ela. Uma mosca de asas douradas – alguém chamado, parece, Harry ou Dick, não importa o nome.
SIR S.L. (de lado): *É o jovem Valentino, garanto. Vi quando ela e o rapaz trocavam olhares...* (Alto): *Com efeito, Madame?*
LADY H.H.: *Ela não é totalmente desfavorecida pela Natureza, sir Spaniel... Existem belas mulheres em nossa família... Talvez um homem distinto e de bom gosto como o senhor se compadeça dela.*
SIR S.L.: *Perdoe-me por falar assim em sua presença, Madame, mas olhos que viram o sol não são facilmente ofuscados por luzes menores... As Cassiopeias, as Aldebarãs, as Ursas Maiores, e assim por diante... Quando o sol se ergue, as estrelas somem!...*
LADY H.H. (lançando-lhe olhares maliciosos): *Está elogiando meu cabeleireiro, senhor, ou meus brincos?* (Faz balançarem os brincos.)
SIR S.L. (para o lado): *Ela tilinta como uma égua a caminho do mercado! Está enfeitada como um mastro em dia de festa!* (Alto): *O que deseja, Madame?*
LADY H.H.: *Bem, o caso é o seguinte. Meu irmão Bob (pois meu pai era um simples nobre rural e não queria nenhum desses nomes bonitos, trazidos pelos estrangeiros – eu chamo a mim mesma Asfódela, mas meu nome de batismo é apenas Sue), pois bem, meu irmão Bob meteu-se no mar, dizem que se tornou Imperador das Índias, onde as pedras do chão são esmeraldas e o excremento das ovelhas são rubis. Como nunca tivesse existido homem melhor, ele certamente teria trazido tudo isso consigo, no retorno, para dar um jeito nos bens da família. Mas o brigue, a fragata, ou seja qual for o nome da embarcação – pois não conheço termos náuticos nem jamais cruzei uma poça de lama sem dizer o pai-nosso de trás para diante –, pois bem, o navio bateu numa rocha. Uma baleia devorou meu irmão. Por ordens do Céu, no entanto, o berço foi levado pelas ondas até a praia com uma menina dentro, a minha Flavinda. E mais do que isso: contendo*

também o testamento, são e salvo, enrolado em pergaminho. O testamento de meu irmão Bob. Deb, venha cá! Deb, estou chamando! Deb! (Ela grita pela criada.)

SIR S.L. (de lado): *Há, há! Sinto cheiro de coisa podre aí! Que testamento que nada! Onde há uma vontade há sempre um meio de cumpri-la.*

LADY H.H. (aos berros): *Deb, o testamento! O testamento! Na caixa de ébano do lado direito da escrivaninha, em frente à janela... Diabos a levem! Está sempre sonhando. São os romances, sir Spaniel... Os romances. Ela não consegue ver uma vela derreter sem que seu coração se desmanche todo; nem pode soprar um pavio sem recitar os nomes do Calendário de Cupido...*

(Entra Deb trazendo um pergaminho.)

LADY H.H.: *Isso... Dê aqui. O testamento. O testamento do meu irmão Bob* (ela murmura contemplando o testamento).

LADY H.H.: *Para resumir, senhor, pois os advogados no País dos Antípodas têm fôlego comprido...*

SIR S.L.: *É para combinar com as orelhas, Madame...*

LADY H.H.: *É verdade, é verdade. Para resumir, senhor, meu irmão deixou todos os bens para a filha única, Flavinda; mas com uma condição; note bem. A de que ela se casasse com alguém do gosto de sua tia. A tia sou eu. De outro modo, todos esses bens... Item um: dez alqueires de diamantes; o mesmo de rubis. Item dois: cem milhas quadradas de terra fértil seguindo o Rio Amazonas na direção noroeste; também a caixa de rapé dele e seu flajolé – ele sempre gostou de música, esse meu irmão Bob. Item seis: araras e todas as concubinas que estavam com ele e lhe pertenciam quando morreu. Tudo isso, além de outras ninharias que não vale a pena discriminar, note bem, caso ela não despose alguém aprovado por mim, pois sou a tia, se destinará a fundar uma capela, sir Spaniel, onde seis virgens pobres deverão cantar hinos perpetuamente pelo descanso da alma dele. Coisa de que, aliás, para falar a verdade, meu pobre irmão Bob bem que necessita, perambulando pela Corrente do Golfo do jeito como perambulava, lidando com as sereias... Mas leia o senhor mesmo.*

SIR S.L. (lendo): *"Deve desposar alguém aprovado por sua tia".* Está bastante claro.
LADY H.H.: *A tia, senhor, sou eu. Isso está bastante claro.*
SIR S.L. (para o lado): *Ela está falando a verdade.* (Alto) *Madame, está querendo dar a entender que...*
LADY H.H.: *Ouça! Chegue mais perto. Deixe-me sussurrar em seu ouvido... Há muito tempo temos boa opinião um do outro, sir Spaniel. Brincamos juntos. Unimos nossos pulsos com guirlandas de margaridas. Se bem me lembro, já me chamou de sua noivinha... Isso faz cinquenta anos. Talvez consigamos, sir Spaniel, que a boa sorte nos bafeje... Está compreendendo?*
SIR S.L.: *Se estivesse escrito em letras de ouro a cinquenta pés de altura, do Cemitério de St. Paul até a Taverna de Goat e Compasses, em Pecckham, não estaria mais claro. Eu, sir Spaniel Lilyliver, obrigo-me a aceitar-te... Como é o nome da menina que foi recolhida num cesto de lagostas, coberta de algas? Flavinda? Ah, Flavinda... Como minha esposa... Pois então que um advogado escreva tudo isso!*
LADY H.H.: *Uma condição, sir Spaniel.*
SIR S.L.: *Uma condição, Asfódela...*
(Ambos pronunciam juntos)
... Que o dinheiro seja dividido entre nós dois.
LADY H.H.: *Não precisamos de advogado para garantir isso! Basta-me sua mão, sir Spaniel!*
SIR S.L.: *E para mim, seus lábios, Madame!*
(Abraçam-se.)
SIR S.L.: *Ah! Como ela cheira mal!*

– Há, há, há! – riu a velha dama na cadeira de rodas.

– A Razão, por Deus! A Razão! – exclamou o velho Bartholomew, fitando o filho como se o exortasse a largar aqueles ares femininos e lhe dissesse: seja um homem, senhor!

Giles sentava-se ereto como um dardo, os pés encolhidos sob a cadeira.

A sra. Manresa pegou espelho e batom e ajeitou o nariz e os lábios.

Enquanto removiam o cenário, o gramofone afirmava docemente certos fatos que todo mundo sabe serem verdadeiros. A música contava mais ou menos sobre como, arrepanhando suas roupas, a noite reluta até deixar cair o manto orvalhado. Os rebanhos repousam em paz, prosseguia a música. O pobre retorna à sua choupana e narra aos ouvidos ávidos da esposa e dos filhos a história de seu trabalho diário: o quanto se lavrou de campo e como a junta de bois poupou a tarambola em seu ninho, enquanto a água corre no rio e há ovos sarapintados no ninho quente. Enquanto isso, a boa esposa arruma sobre a mesa o alimento frugal, e ao som da flauta do pastor mancebos e ninfas dão-se as mãos e dançam na relva. Depois, a Noite destrança os cabelos sombrios e espraia seu véu reluzente de estrelas sobre a aldeia, a torre da igreja, o campo etc. A música foi repetida mais uma vez.

E a paisagem reproduzia à sua maneira o que a música afirmava. O sol baixava, as cores se fundiam; a paisagem dizia que, depois do trabalho no campo, os homens repousam de suas lidas; chega o frescor da noite; a Razão prevalece; e, tendo desatrelado a junta do arado, os vizinhos trabalham nos jardins de suas casas ou se debruçam sobre os portões.

Dando um passo atrás, depois ficando imóveis, as vacas repetiam à perfeição a mesma coisa.

Envolvida nessa tríplice melodia, a plateia permanecia sentada, o olhar esgazeado; e de maneira doce e aprovadora, sem interrogações, pois parecia algo inevitável, contemplava os ajudantes substituindo o quarto de vestir da lady por uma árvore num vaso verde, enquanto se pendurava um grande relógio no que parecia ser uma parede, os ponteiros indicando três minutos para as sete.

A sra. Elmhurst despertou do seu sonho; consultou o programa.

– Cena Dois: A Alameda – leu alto. – Hora: cedo pela manhã. Entra Flavinda. Aí vem ela!

Ali vinha Millie Loder (empregada na loja de tecidos das Sras. Hunt e Dickinson), vestindo cetim pregueado, representando Flavinda.

FLAVINDA.: *Ele disse sete e aqui está a palavra do relógio para confirmar. Valentino... Onde está Valentino? Oh, como bate meu coração! Mas não é por ser tão cedo, pois muitas vezes estou de pé antes que o sol se erga sobre os campos... Vejam, cavalheiros e damas da sociedade! Todos andando na ponta dos pés como pavões de caudas abertas em leque! E eu com minha saia que parecia tão fina no espelho rachado de minha tia, e que aqui parece um esfregão de lavar louça... Elas, porém, as damas erguem suas cabeleiras como um bolo de aniversário cheio de velinhas... Aqui um diamante... Ali um rubi... Onde está Valentino? Ele disse: na laranjeira da alameda. A árvore está aqui; Valentino não está em lugar nenhum. Garanto que é um cortesão, raposa velha que passa com o rabo entre as pernas. Eis uma criada que escapou sem permissão de seu senhor. Aquele ali é um homem com uma vassoura para limpar as veredas onde passeiam as damas refinadas... Vejam o rubor de suas faces! Garanto que não foi no campo que elas o adquiriram! Oh, Valentino, infiel, desumano. Valentino! Valentino!*

(Retorce as mãos, andando de um lado para outro.) – *Pois não saí da minha cama na ponta dos pés, esgueirando-me como um ratinho pelo forro de madeira, com medo de acordar minha tia? Não espalhei nos cabelos o pó de minha tia? Não esfreguei as faces para que ficassem luminosas? Não me mantive acordada observando as estrelas subirem pelas chaminés? Não dei à criada o meu guinéu de ouro, o guinéu que meu padrinho escondeu atrás do visco no dia de Reis, só para que ela não me delatasse? Não pus azeite na chave para que não rangesse na fechadura e não acordasse minha tia, e ela não se zangasse com Flavy?*

Flavy! Val, chamo Val... É ele que vem chegando... Não. Eu o reconheceria a uma milha de distância, pela maneira como anda sobre as ondas, como Aquele que vemos nos livros... Esse não é Val... É um indivíduo qualquer, um janota que ergue sua luneta para me ver melhor... Voltarei para casa... Não, não voltarei... Isso será bancar a meninota imatura mais uma vez. Sou maior de idade, pelo menos serei no dia de São Miguel. Apenas três voltas da lua, e herdarei... Não foi o que li no testamento, no dia em que minha bola caiu sobre a velha cômoda onde minha tia guarda suas quinquilharias e a tampa se entreabriu? "Tudo o que possuo quando eu morrer será de minha filha..." Foi o que consegui ler quando a velha veio pelo corredor tateando como um cego na alameda... Não sou uma criança encontrada ao acaso, senhor, não esqueça; não sou uma sereia de cauda de peixe com traje feito de cardos do mar, pedindo misericórdia. Estou à altura de qualquer uma dessas raparigas com quem o senhor anda fazendo loucuras... E me pede que o encontre junto à laranjeira enquanto fica dormindo por causa da noite que passou nos braços delas. Vergonha para o senhor, que se diverte assim à custa de uma pobre moça... Não chorarei, juro que não. Não derramarei uma só gota deste líquido salgado por um homem que me trata assim... Mas quando penso... em como nos escondemos na leiteria quando o gato saltou. E lemos romances debaixo do pé de azevinho... Ah, eu até gritei quando li que o duque abandonou a pobre Polly... E minha tia me encontrou com os olhos vermelhos. "O que foi, sobrinha?", perguntou e gritou: "Deb, depressa, a bolsa azul". E eu lhe contei, Valentino... que lia tudo isso num livro e que chorava por outro... O que é isso entre as árvores? Ele veio... Foi-se. Será a brisa? Agora, na sombra... Agora, no sol. Valentino da minha vida! É ele! Vou me esconder depressa atrás da árvore!

(Flavinda esconde-se atrás da árvore.)

Ele está aqui... Volta-se... Procura... Perdeu o rastro... Olha aqui, ali... Ele que saboreie aqueles belos rostos... Que os saboreie, que os reconheça e diga: "Esta é a bela dama com quem dancei... com quem me deitei... Aquela a quem beijei sob o pé de visco...". Ah, agora ele as despreza! Querido Valentino! Como baixa os olhos para o chão! Como fica belo, franzindo as sobrancelhas! E suspira: "Onde está Flavinda? Ela a quem amo como ao coração no meu peito". Vejam, ele pega o relógio! "Oh, malvada infiel!", suspira. Vejam como bate os pés na terra! Vira-se nos calcanhares... Está me vendo. Não, o sol ofusca seus olhos, enche-os de lágrimas... Deus do céu, ele apalpa a espada! Vai enfiá-la no próprio peito, como o duque no romance! Pare, pare com isso! (Ela se mostra.)

VALENTINO: *Flavinda! Ó Flavinda!*

FLAVINDA: *Valentino! Ó Valentino!*

(Abraçam-se.)
O relógio bate nove horas.

* * *

– Tanto estardalhaço por tão pouca coisa! – exclamou uma voz. As pessoas começaram a rir. A voz interrompeu-se. Contudo, a voz enxergara, a voz ouvira. Por um momento, atrás de sua árvore, a srta. La Trobe sentiu o fulgor da glória. Depois, virando-se para os aldeões que entravam e saíam das árvores, gritou:
– Mais alto! Mais alto!

Pois o palco estava vazio; a emoção precisava ser fomentada; e a única coisa que poderia manter a emoção acesa era a canção; as palavras, porém, eram inaudíveis.
– Mais alto! mais alto! – ela os ameaçava com os punhos cerrados.

Cavando e revolvendo (cantaram), *abrindo sulcos e...*

Verão e inverno, outono e primavera... Tudo passa, exceto nós, tudo muda... mas nós permanecemos sempre os mesmos... (a brisa abria lacunas entre as palavras.)
– Mais alto! Mais alto! – vociferava a srta. La Trobe.

Palácios ruíram (recomeçaram). *Babilônia, Nínive, Troia. E a grande mansão de César... Tudo jaz no chão... Onde agora se aninha o tordo ficava o arco... através do qual passaram os romanos... Cavando e revolvendo a terra abrimos o solo com o arado. Onde Clitemnestra, esperando seu senhor... via os sinais do fogo reluzindo nas colinas... vemos apenas o solo... Cavando e revolvendo... e o Rei, a Rainha e a Torre caem por terra pois Agamêmnon partiu... Clitemnestra não é senão...*

As palavras perderam-se. Apenas alguns nomes importantes – Babilônia, Nínive, Clitemnestra, Agamêmnon, Troia – esvoaçaram pelo amplo espaço aberto. Depois, o vento soprou e no farfalhar das folhas até essas grandes palavras se tornaram inaudíveis; a plateia sentada olhava os aldeões cujas bocas se moviam, mas não emitiam som nenhum.

O palco continuava vazio. A srta. La Trobe recostava-se à árvore, paralisada. Não tinha mais energia. Gotas de suor apareceram em sua testa. A ilusão falhara.

– É a morte – murmurou. – A morte.

Depois, subitamente, enquanto a ilusão se apagava, as vacas entraram em cena. Uma delas perdera seu bezerro. No mesmo instante ergueu a grande cabeça com o sinal branco e mugiu. Todas aquelas grandes cabeças com seus sinais brancos ergueram-se. De uma vaca a outra passava o mesmo lamento. O mundo inteiro ressoava num gemido cavernoso. Era uma voz primitiva gritando no ouvido do momento presente. Depois, o rebanho inteiro foi contagiado. Sacudindo os rabos, erguiam as cabeças, berravam e mugiam, como se Eros tivesse enfiado seu dardo naqueles flancos e os instigasse até o furor. As vacas preencheram a lacuna, cobriram a distância, ocuparam o vazio e mantiveram acesa a emoção.

A srta. La Trobe acenava extasiada para as vacas.

– Graças a Deus! – exclamou.

De repente, as vacas silenciaram; baixaram as cabeças e começaram a pastar. Ao mesmo tempo, as pessoas da plateia baixaram as cabeças também e puseram-se a ler seus programas.

– "Os responsáveis solicitam indulgência da plateia" – leu a sra. Elmhurst para o marido. – "Devido à falta de tempo, omitiu-se uma cena; pedimos à plateia que imagine que, nesse intervalo, sir Spaniel Lilyliver ficou noivo de Flavinda, a qual esteve na iminência de ser infiel; é quando Valentino, escondido dentro do velho relógio, se adianta, exige Flavinda como sua noiva, revela o plano para roubar sua herança e, durante a confusão que se segue, os amantes

fogem juntos, deixando lady Harpy e sir Spaniel sozinhos". Querem que imaginemos tudo isso – disse ela, tirando os óculos.
– Muito sábio da parte da srta. La Trobe – comentou a sra. Manresa para a sra. Swithin. – Se fizesse representar todas as cenas, ficaríamos aqui até meia-noite. Assim, o jeito é imaginar, sra. Swithin. – Ela deu uma palmadinha no joelho da velha dama.
– Imaginar? – disse a sra. Swithin. – Que coisa mais acertada! Os atores sempre mostram demais. Os chineses colocam um punhal sobre uma mesa, e isso significa uma batalha inteira. E Racine...
– Sim, os atores nos matam de tédio. – A sra. Manresa interrompeu, farejando cultura, ressentindo-se porque isso dificultaria as alegrias espontâneas e naturais. – Outro dia, levei meu sobrinho, um menino muito engraçadinho que estuda em Sandhurst, para ver *Pluft! Lá Se Foi a Doninha*. Já viu essa peça? – perguntou a Giles.
– *Subindo e descendo a estrada para a cidade...* – cantarolou ele, à guisa de resposta.
– Sua babá também cantava isso? – exclamou a sra. Manresa.
– A minha cantava. E quando dizia Pluft! fazia o ruído de uma rolha saltando de uma garrafa de *ginger-ale*.
Pluft!
Ela imitou o ruído.
– Psiu! Psiu! – fez alguém.
– Estou sendo desagradável e deixei sua tia chocada – disse ela. – Precisamos nos comportar e prestar atenção. É a Cena Três. O quarto de lady Harpy Harraden. Ao longe ouve-se tropel de cavalos.

O som de patas de cavalo, energicamente reproduzido por Albert, o idiota, batendo com uma colher de pau num prato, foi se perdendo.

LADY H.H.: *Ela já está a meio caminho de Gretna Green! Ah, sobrinha, como você me decepcionou! Você, a quem salvei do mar e coloquei, encharcada, diante da lareira! Antes a baleia a tivesse engolido inteira! Pérfida lampreia, oh, seu livro de leitura não lhe ensinou que deve honrar sua tia? Como pôde ser tão má aluna, aprendendo a roubar, a enganar e a ler testamentos em velhas caixas, a esconder molecotes em honestos relógios que jamais se atrasaram um só segundo desde os tempos do rei Carlos! Ó Flavinda, pérfida lampreia!*

SIR S.L. (tentando calçar suas botas de montaria): *Velho... Velho... Velho. Ele me chamou de "velho". "Vá para a cama, seu velho idiota e beba seu leitinho quente!"*

LADY H.H.: *E ela, parando na porta e apontando o dedo para mim com sarcasmo, me chamou de velha: "mulher velha". A mim, que estou na flor da idade!*

SIR S.L. (puxando as botas): *Mas vou acertar as contas com ele. Porei a lei em seus calcanhares! Vou acabar com eles...*

(Fica mancando de um lado para outro, um pé calçado com a bota, outro não.)

LADY H.H. (pondo a mão no braço dele): *Cuidado com sua gota, sir Spaniel. Domine-se... Não percamos a cabeça, estamos do lado ensolarado dos cinquenta anos. O que é essa juventude da qual eles tanto se jactam? Nada senão uma pena de ganso soprada pelo vento norte. Sente-se, sir Spaniel. Descanse sua perna... Assim...*

(Põe uma almofada debaixo da perna dele.)

SIR S.L.: *Ele me chamou de "velho"... saltando da caixa do grande relógio como um boneco de mola... E ela, zombando de mim, apontou para minha perna e gritou: "As flechas de Cupido, sir Spaniel, as flechas de Cupido". Ah, eu poderia refogá-los como um guisadinho e servi-los fumegantes no altar de... Ai, a minha gota! Ai, a minha gota!*

LADY H.H.: *Senhor, falar assim não combina com um homem de bom senso. Pense que há poucos dias ainda invocou as Constelações, Cassiopeia, Aldebarã, a Aurora Boreal... Não se pode negar que uma delas saiu de órbita, escapou, mas, para falar francamente, fugiu com as entranhas de um relógio, o mero pêndulo do relógio de meu avô. Sir Spaniel, há estrelas que... são fixas, em outras palavras, brilham mais vivamente junto de uma fogueira de algas marinhas secas, numa manhã fresca.*

SIR S.L.: *Ah, se eu tivesse vinte e cinco anos e uma espada afiada!*

LADY H.H. (empertigando-se): *Compreendo. Na verdade, sinto tanto quanto o senhor. A juventude, porém, não é tudo. Para lhe confessar um segredo: eu mesma já passei pelo meridiano. Estou igualmente do outro lado do equador. Durmo tranquila à noite, sem rolar na cama. Os dias de calor passaram... Mas pense bem, senhor. Onde há uma vontade, há sempre um meio de cumpri-la...*

SIR S.L.: *Verdade das verdades, Madame... Ah, meu pé parece um casco de cavalo em brasa sobre a bigorna do diabo! Ai! O que quer dizer?*

LADY H.H.: *O que quero dizer, senhor? Deverei violentar minha modéstia e revelar o que conservei guardado em alfazema desde que meu esposo – paz à sua alma – faz já vinte anos adoeceu? Falando de maneira bem clara, senhor, Flavinda fugiu. A gaiola está vazia. Mas nós, que unimos nossos pulsos com guirlandas de prímulas, agora podemos juntar a estas uma corrente mais forte. Deixar de lado os rodeios e as imagens. Aqui estou, Asfódela – meu nome verdadeiro é Sue. Não importa qual seja meu nome, Asfódela ou Sue, aqui estou, saudável e bem-disposta, às suas ordens. Agora que a trama acabou, o espólio de meu irmão Bob terá de ser entregue às virgens. Isso está claro. Temos a palavra do advogado Quil! "Virgens... perpetuamente... cantando pela alma dele". E garanto-lhe que ele bem que precisa disso... Mas não importa. Embora tenhamos jogado fora o que poderia ter nos concedido uma cômoda felicidade, não sou nenhuma mendiga. Há propriedades, imóveis, toalhas de mesa, gado, meu dote, uma série de artigos variados. Vou lhe mostrar tudo, conforme anotado em pergaminho; é o suficiente para nos manter de maneira confortável, como marido e mulher, pelo tempo que nos resta.*

SIR S.L.: *Marido e mulher? Então essa é a verdade? Ora, Madame, prefiro me enfiar num tonel de piche ou me amarrar numa árvore de espinhos durante uma tempestade de inverno.*

LADY H.H.: *Um tonel de piche, uma árvore de espinhos? O senhor que falava docemente de galáxias e vias lácteas! O senhor que jurava que meu brilho ofuscava todas as demais! O diabo que o carregue, traidor! Velhaco! Serpente em pele de ovelha! Então não me quer? Rejeita minha mão?*

(Ela estende a mão; ele a afasta.)

SIR S.L.: *Esconda em luvas de lã seus dedos de múmia! Não quero tocar em nenhum deles! Ainda que fossem puro diamante, e a senhora tivesse pendurada no pescoço metade da terra com todas as concubinas do mundo, eu não quereria nada disso... Nada. Solte-me, coruja velha, bruxa, vampira! Largue-me!*

LADY H.H.: *Então todas as suas belas palavras eram papel dourado envolvendo um bombom de Natal?*

SIR S.L.: *Cincerros pendurados no pescoço de uma mula! Rosas de papel num mastro de feira! Ai, meu pé, meu pé... Flechas de Cupido, era assim que ela zombava de mim... E ele me chamou de velho, velho!*

(Afasta-se mancando.)

LADY H.H. (agora sozinha): *Tudo acabado. Foram-se todos, levados pelo vento. Ele se foi; ela se foi; e o velho relógio no qual aquele jovem vilão se fingiu de pêndulo foi a única coisa que parou. O diabo que os carregue... Transformaram em bordel a casa de uma mulher honesta. Eu, que fui Cassiopeia, agora fui chamada de mula! Minha cabeça está girando. Não se pode confiar em homem nem em mulher; nem em belas palavras; nem em boa aparência. Vai-se a pele de ovelha, a serpente aparece. Devem estar em Gretna Green, onde se deitarão nas ervas e chocarão víboras. Minha cabeça está confusa... Tonel de piche, ele disse. Cassiopeia... Dedos de múmia... Andrômeda... Árvore de espinhos... Deb, Deb* (ela põe-se a gritar). *Venha afrouxar meu espartilho. Vou rebentar... Traga minha mesinha forrada de feltro verde e ponha as cartas. Traga meus chinelinhos de pele, Deb. E uma xícara de chocolate... Vou me desforrar deles... Vou viver mais do que todos... Deb, estou chamando, Deb! Diabos a levem! Não está ouvindo? Deb, sua filha de ciganos que recolhi junto à sebe e ensinei a se comportar! Deb! Deb!*

(Abre bruscamente a porta que dá para o quartinho da empregada.)

– *Vazio! Ela também se foi!... Ora, o que é isso sobre a cômoda?*

(Apanha um pedaço de papel e lê.)

– *"Que me importa essa sua cama de penas de ganso? Estou indo embora com os ciganos. Assinado: Deborah, sua ex-empregada". Então é assim! Ela, a quem alimentei com cascas de maçã e pão da minha própria mesa; ela, a quem ensinei a jogar cartas e a costurar... Ela também se foi. Ó, ingratidão, teu nome é Deborah! Quem lavará a louça agora; quem trará meu leite; quem aguentará meus acessos de raiva; quem afrouxará meu espartilho? Foram-se todos, estou sozinha. Sem sobrinha, sem amante, sem criada.*

E assim, eis a moral da história,
O deus do amor é cheio de artimanhas;
Lança sua flecha em nosso pé, mas para mim
É fácil ver o que o testamento quis dizer:
Virgens santas cantando eternamente,
'Onde há uma vontade há sempre um meio de cumpri-la, basta ter fé.'
Adeus então, boa gente, a peça chegou ao fim".

(Lady H.H. afasta-se depois de fazer uma mesura.)

A cena terminou. A Razão desceu de seu pódio. Atravessou o palco, recebendo serenamente os aplausos da plateia, arrepanhando as vestes ondulantes; lordes e ladies seguiram-na, usando suas estrelas e jarreteiras; sir Spaniel escoltava lady Harraden, mancando e sorrindo maliciosamente; Valentino e Flavinda, de braço dado, faziam mesuras.

– Eis a verdade! – exclamou Bartholomew, usando da mesma linguagem afetada. – Eis a melhor lição de moral para todos os senhores!

E, jogando-se para trás na cadeira, desatou a rir como relinchos de cavalo.

Moral. Mas que moral? Giles imaginou que fosse: "Onde há uma vontade, há sempre um meio de cumpri-la". As palavras levantavam-se, apontando para ele dedos sarcásticos. Ir com a amada para Gretna Green – um fato consumado. As consequências que se danassem.

– Gostaria de ver a estufa? – disse bruscamente, voltando-se para a sra. Manresa.

– Adoraria! – exclamou ela, erguendo-se.

Havia sempre um intervalo entre os atos? Sim, o programa dizia que sim. O aparelho nos arbustos continuava a zumbir chhh... chhh... chhh... É a próxima cena?

– Período vitoriano – leu alto a sra. Elmhurst. Assim, provavelmente havia tempo para um breve passeio ao redor da casa, até talvez para dar uma olhada no seu interior. De alguma forma, porém – e não saberiam como expressar isso em palavras –, sentiam-se um pouco deslocados. Como se a peça houvesse lançado a bola fora da meta; como se isso que chamamos de "eu" ainda flutuasse, desligado de tudo, e não se firmasse em lugar algum. Sentiam que não eram eles próprios. Ou seria apenas porque de repente tinham consciência de suas roupas? Vestidos de *voile* fora de moda; calças de flanela; chapéus-panamá; chapéus envoltos em redes cor de framboesa, no estilo do chapéu da Duquesa Real em Ascott. De repente, pareciam uns tolos.

– Como eram belas as roupas deles – disse alguém, lançando um olhar para Flavinda, que desaparecia. – Muito boas. Eu queria...

Chhh... chhh... chhh... prosseguia o aparelho nos arbustos, nítido, insistente.

Nuvens atravessavam o céu. O tempo parecia incerto.

Por um momento Hogben's Folly tornou-se de um branco acinzentado. Depois, o sol atingiu o cata-vento dourado da Abadia de Bolney.

– Parece instável – disse alguém.

– Vamos nos levantar... Esticar as pernas – disse outra voz. Logo os gramados adquiriram vida, com as pequenas ilhas flutuantes de vestidos coloridos. Mas uma parte da plateia continuava sentada.

"O major Mayhew e sua esposa", anotou Page, o repórter, molhando o lápis na língua. Quanto à peça, ele chamaria a srta. Qualquer-Coisa e pediria um resumo. A srta. La Trobe, porém, sumira.

Trabalhava feito uma escrava lá embaixo entre os arbustos. Flavinda estava de combinação. A Razão jogara seu manto sobre uma sebe de azevinho. Sir Spaniel pichava as botas de montaria. A srta. La Trobe recolhia toda a sorte de objetos.

– O manto vitoriano com a franja de contas... Onde está essa droga? Jogue ali... E agora, a barba falsa...

Abaixando-se e levantando-se, passava os rápidos olhos de pássaro por cima dos arbustos, observando a plateia que se agitava, passeava de um lado para outro. Afastavam-se do camarim onde os atores se vestiam – respeitavam as convenções. Contudo, se fossem longe demais, começariam a explorar o terreno, a visitar a casa, e então... Chhh... chhh... chhh... continuava o aparelho. O tempo passava. Por quanto tempo ficariam reunidos? Tudo era um jogo, um risco... E ela se movia energicamente, atirando peças de roupa na grama.

Vozes de palha chegavam por cima dos arbustos, vozes sem corpo, sim, pareciam-lhe apenas vozes simbólicas, a ela que pouco ouvia e não via nada, mas mesmo assim, por cima dos arbustos, sentia fios invisíveis ligando aquelas vozes incorpóreas.

– A situação parece muito sombria.

– Ninguém quer isso... exceto os malditos alemães.

Pausa.

– Eu cortaria aquelas árvores...

– Como conseguem criar rosas bonitas!

– Dizem que esse jardim existe há quinhentos anos...

– Ora, devemos fazer justiça, até o velho Gladstone...

Depois, silêncio. As vozes passaram para além dos arbustos. As árvores farfalhavam. Muitos olhos contemplavam a paisagem, sentia a srta. La Trobe com seu corpo em que todas as células eram receptivas. Pelo canto do olho pôde ver Hogben's Folly; depois, o cata-vento rebrilhou.

– O barômetro está baixando – disse uma voz. Podia ouvi-los escapando de seus dedos, enquanto contemplavam a paisagem.

– Onde está a maldita sra. Rogers? Quem viu a sra. Rogers? – gritou ela, agarrando um manto vitoriano. Depois, ignorando as convenções, uma cabeça apareceu entre os ramos floridos: a da sra. Swithin.

– Oh, srta. La Trobe! – exclamou e interrompeu-se. Então recomeçou: – Oh, srta. La Trobe, meus parabéns! Hesitava: – A senhora me proporcionou... – Ela omitiu alguma coisa, recompôs-se: – Desde criança senti... – Uma névoa baixou sobre seus olhos, afastando o presente. Tentava recordar a infância, desistiu e, com um pequeno gesto, como se pedisse à srta. La Trobe para ajudá-la, continuou: – Essa ronda diária; sempre subindo e descendo escadas e dizendo: "O que estou mesmo procurando? Meus óculos? Mas estão no meu nariz..."

Fitou a srta. La Trobe com um olhar inocente de dama anciã. Os olhos das duas encontraram-se no esforço comum de fazer nascer um significado comum a ambas. Fracassaram, e a sra. Swithin, agarrando desesperadamente uma fração do que desejava dizer, afirmou:

– Como foi pequeno o meu papel na vida! Mas você me fez sentir que eu poderia ter representado... Cleópatra!

Acenou com a cabeça por entre os trêmulos ramos dos arbustos e afastou-se em seus passinhos curtos.

Os moradores da aldeia piscavam o olho. "Parafusos frouxos", diziam da velha Flimsy, que ainda aparecia entre os arbustos.

– Eu podia ter sido... Cleópatra – repetiu a srta. La Trobe. – O que ela quis dizer foi que eu fiz viver nela um papel que nunca representou.

– Agora, sra. Rogers, a saia.

A sra. Rogers estava grotesca em suas meias pretas.

A srta. La Trobe enfiou pela sua cabeça as volumosas pregas do período vitoriano. Atou os cordões. O que a velha quisera dizer fora: "Você tangeu cordas invisíveis"; e, entre todas as pessoas do mundo, revelou uma Cleópatra. Sentiu-se dominada pela glória. Ah, mas ela não era apenas alguém que tangia cordas individuais; era aquela que ferve num caldeirão corpos errantes e vozes flutuantes, e dessa massa amorfa vai formando um mundo novo. O seu momento chegara: a sua glória.

– Pronto! – exclamou, amarrando as fitas negras no queixo da sra. Rogers. – Pronto! Agora, os cavalheiros. Hammond! Chamou Hammond com um sinal. Ele avançou, obediente como um carneiro, e deixou que lhe aplicassem as suíças negras. *Olhos semicerrados, cabeça inclinada para trás, parecia o rei Artur*, pensou a srta. La Trobe: *nobre, cavalheiresco, magro*.

– Onde está o velho casaco do major? – perguntou, confiando que isso teria o poder de transformá-la.

Tique, tique, tique, fazia o aparelho. O tempo passava.

A plateia andava por ali, dispersa. Apenas o tique-tique do gramofone os ligava. A sra. Giles escapava, perambulando solitária por entre os canteiros de flores.

– A melodia! – ordenou a srta. La Trobe. – Apressem-se! A música! A música seguinte! Número dez!

– *Agora* – murmurava Isa, apanhando uma flor –, *posso colher a minha flor solitária. Branca ou vermelha? E comprimi-la assim entre os dedos...*

Olhou os rostos que passavam, procurando o do homem de cinza. Ele apareceu por um segundo, mas rodeado pela multidão, inacessível. E logo desapareceu.

Ela deixou cair a flor. Qual pétala solitária, separada, ela podia comprimir? Nenhuma. Nem passear sozinha por entre os canteiros. Precisava seguir adiante, e voltou-se em direção do estábulo.

– *Para onde estou indo?* – cantarolou, sonhadora. – *Descendo por túneis ventosos? Onde sopra o vento cego e nada cresce para podermos ver. Nenhuma rosa. Para chegar aonde? Algum campo infértil e brumoso, onde a noite não baixa seu manto, nem se ergue o sol. Tudo ali é igual. As rosas não desabrocham. Não existe mudança; não existe o vário e o belo; nem encontros nem separações; nem buscas secretas, quando as mãos se procuram e os olhos querem se refugiar em outros olhos.*

Chegara ao pátio do estábulo, onde se prendiam os cães, onde ficavam os baldes, onde a grande pereira estendia seus ramos contra a parede. A árvore cujas raízes seguiam por baixo das lajes estava carregada de peras verdes e duras. Apalpando uma delas, Isa murmurou:

– *Como me pesa o que arrancaram da terra; memórias; posses. Essa é a carga que o passado depõe sobre mim, como o último burrico na longa caravana que atravessa o deserto. "Ajoelhe-se", diz o passado. "Encha a sua cesta com frutos da nossa árvore. Erga-se, burrico. Siga seu caminho, até que seu casco rache e suas ferraduras se quebrem".*

A pera era dura como pedra. Ela baixou os olhos para as lajes rachadas sob as quais as raízes se espraiavam.

– *Foi essa a carga que depositaram no meu berço* – murmurou pensativa. – *Acalentada pelas ondas; bafejada por olmos incansáveis; embalada pelos cantos das mulheres; tudo isso que devemos lembrar ou esquecer.*

Ergueu os olhos. Os ponteiros dourados do relógio do estábulo marcavam, inflexíveis, dois minutos antes de atingir a hora inteira. Logo soariam as horas.

– *Vejo um relâmpago no céu azul* – cantarolava ela.

– *Romperam-se os laços atados pelos mortos. O que possuímos está frouxo e nos escapará.*

Vozes interromperam-na. Gente que passava pelo pátio, conversando.

– *Dizem que é bom o dia em que nos tiram as roupas. Outros dizem que bom é o fim do dia. Pensam na Taverna e no Taverneiro. Contudo, ninguém fala com voz livre de antigas vibrações. Ouço murmúrios corruptos; tilintam o ouro e os metais. Há música enlouquecida...*

Mais vozes soaram. A plateia voltava ao terraço. Isa ergueu-se. Tentou encorajar a si mesma:

– *Siga o seu caminho, burrico paciente. Não dê atenção aos gritos dos que nos conduzem, que acabarão nos abandonando, nem à tagarelice desses rostos de porcelana, vítreos e rijos. Ouça antes o pastor que tosse junto ao muro da granja; a árvore ressequida que suspira quando o Cavaleiro passa a galope; o tumulto do quarto na caserna, onde despiram a jovem e lhe tiraram as roupas; ou o grito de alguém em Londres, quando abro a janela...*

Ela saíra do caminho que passava pela estufa. A porta abriu-se. Apareceram Giles e a sra. Manresa. Isa seguiu atrás deles pelo gramado, até a primeira fila de cadeiras, sem que a vissem.

O chhh... chhh... chhh... do aparelho nos arbustos cessou. Obedecendo à ordem da srta. La Trobe, outra melodia foi colocada no gramofone. Número dez. Chamava-se: *Gritos de Londres*, um poutpourri.

"*Alfazema, alfazema, quem quer comprar a perfumada alfazema?*", tilintava a melodia, tentando sem muita eficácia arrebanhar a plateia. Alguns a ignoraram. Outros ainda passeavam por perto. Outros pararam, mas ficaram em pé. Alguns, como o coronel Mayhew e esposa, que não haviam deixado suas cadeiras, liam curvados sobre as folhas de papel borrado, distribuídas para informação.

– Século XIX. – O coronel Mayhew não discutiu o direito do autor de saltar duzentos anos em menos de quinze minutos, embora a escolha das cenas o deixasse atônito.

– Por que deixar de fora nosso Exército Britânico? O que é a História sem o Exército, hein? – ponderou. Inclinando a cabeça, a sra. Mayhew protestou que, afinal, não se podia exigir demais. Além disso, era provável que houvesse uma grande cena final em conjunto, em torno da bandeira inglesa. Enquanto isso, tinham a paisagem para contemplar. E ficaram olhando a paisagem.

– *Doce alfazema... doce alfazema...* – murmurando a melodia, a velha sra. Lynn Jones (do Mount) avançou sua cadeira. – *Etty, aqui* – disse e acomodou-se junto a Etty Springett, com quem dividia a casa, agora que ambas eram viúvas.

– Ainda me lembro – disse ela, balançando a cabeça ao ritmo da melodia – e você também se lembra dos gritos que se ouviam nas ruas de Londres. – Ambas se lembravam: cortinas infladas de vento e homens gritando enquanto passavam pela rua com gerânios e jasmins plantados em vasos: "Plantas, plantas, belas plantas...".

– Lembro-me de uma harpa, uma carruagem e um fiacre. A rua era tão quieta naqueles tempos. Dois xelins a carruagem, era isso? E um pelo fiacre. E Ellen, de gorro e avental, assobiando na rua, você lembra? E os que corriam atrás do veículo durante todo o trajeto desde a estação, para ver se teríamos um baú para carregar.

A melodia mudou.

– Ferro-velho, ferro-velho para vender? Você se lembra? Era isso que os homens gritavam no meio do nevoeiro. Vinham de Seven Dials. Homens de lenços vermelhos. Eram chamados de "estranguladores", não eram? Não se conseguia andar direito... Ah, não... voltando para casa depois do teatro. Regent Street. Piccadilly. Hyde Park Corner. As mulheres de má vida... E, por toda parte, pães atirados na sarjeta. Sabe, os irlandeses em torno de Covent Garden... Voltando do baile, passando pelo relógio na esquina de Hyde Park, você se lembra da sensação de usar luvas brancas?... Meu pai se recordava do velho Duque no Parque. Colocava dois dedos, assim, no chapéu... Ainda tenho o álbum de minha mãe. Um lago e dois amantes. Ela copiava textos de Byron, creio que era o que naquele tempo chamavam caligrafia italiana...

– O que é isso? *"Derrubados na velha estrada de Kent"*. Lembro-me de que o pequeno engraxate assobiava isso. Ah, meu Deus, as criadas... A velha Ellen... Dezesseis libras de ordenado por ano... E os bules de água quente! E as crinolinas! E os espartilhos! Lembra-se do Palácio de Cristal, e dos fogos de artifício, e de como Mira perdeu a sandália na lama?

– Lá está a jovem sra. Giles... Lembro-me da mãe dela. Morreu na Índia... Acho que naquele tempo usávamos muitas saias de baixo. Anti-higiênico? Atrevo-me a dizer que sim... Bem, veja minha filha. À direita, bem atrás de você. Quarenta anos, mas esbelta como o talo de um bambu. Cada apartamento agora tem seu refrigerador... Minha mãe levava metade da manhã dando as instruções sobre o jantar... Éramos onze. Com as criadas, dezoito pessoas na família... Agora, simplesmente telefonam para os armazéns... Ali está Giles, vindo com a sra. Manresa. Não gosto muito do tipo dela. Talvez eu me engane... E o coronel Mayhew, animado como sempre... E o sr. Cobbet, de Cobbs Corner, ali, debaixo da araucária. Ele não aparece muito em público... E é isso que é tão simpático: as pessoas se encontram. É muito bom, nesses tempos em que todo mundo anda tão ocupado... O programa? Você está com ele? Vamos ver o que vem agora... Século XIX... Veja, ali está o coro, os aldeões aparecem entre as árvores. Primeiro, haverá um prólogo...

Um caixote grande, forrado de pelúcia vermelha com cordões dourados, foi colocado no meio do cenário. Ouviu-se um farfalhar de vestidos; cadeiras foram arrastadas. A plateia sentava-se depressa, com sentimento de culpa. A srta. La Trobe estava de olho neles. Deu-lhes dez segundos para comporem os rostos. Depois, fez um gesto. Imediatamente ressoou uma pomposa marcha: *"Firme, elegante, tonitruante"* etc....

E mais uma vez emergiu dos arbustos uma figura volumosa e simbólica. Era Budge, o taverneiro; mas tão bem disfarçado que mesmo os frequentadores habituais de sua casa, que bebiam com ele todas as noites, não conseguiram reconhecê-lo; e entre os moradores da aldeia correu um murmúrio de discussões sobre sua identidade. Envergava uma longa capa negra impermeável, lustrosa; parecia feita do material das estátuas de Parliament Square; um capacete sugeria que era um policial; uma fila de medalhas atravessava seu peito; na mão direita segurava o bastão de comissário (emprestado pelo sr. Willert, do

Tribunal). Foi sua voz, áspera e enferrujada, brotando da grossa barba de lã preta, que o denunciou.

– Budge, Budge. É o sr. Budge – sussurrou a plateia.

Budge estendeu o bastão e recitou:

– *Não é trabalho fácil dirigir o tráfego na esquina do Hyde Park. Ônibus e carruagens, matraqueando sobre as pedras do calçamento. Fique à direita, por favor! Ei, você aí, pare.*

(Ele acenava com o bastão.)

– *Lá vai a velhota com a sombrinha bem debaixo do nariz do cavalo.*

(O bastão apontou de maneira óbvia para a sra. Swithin.)

Esta ergueu a mão ossuda como se, na verdade, houvesse passado pela calçada e se sobressaltasse com a justa ira da autoridade. *Bem feito*, pensou Giles, apoiando a autoridade contra a tia.

– *Nevoeiro ou bom tempo, cumpro meu dever* (prosseguiu Budge). *Em Piccadilly Circus; no Hyde Park Corner, dirigindo o tráfego do Império de Sua Majestade; o xá da Pérsia; o sultão do Marrocos; ou talvez seja Sua Majestade em pessoa; ou turista da Agência Cook; homens negros, brancos, marujos, soldados, atravessando o oceano para proclamar o Império, todos obedecem à lei do meu bastão.*

(Agitou-o solenemente da direita para a esquerda.) – *Mas meu trabalho não termina aqui. Tomo sob minha proteção e orientação a pureza e a segurança de todos os súditos de Sua Majestade; em todos os recantos de seus domínios; insisto em que obedeçam às leis de Deus e dos homens.*

As leis de Deus e dos homens (repetiu, fazendo de conta que consultava um regulamento; enrolado numa folha de pergaminho que tirou lentamente do bolso da calça.)

– *Ir à igreja no domingo; na segunda, nove em ponto, pegar o ônibus da cidade. Na terça, talvez, assistir a uma reunião em Mansion House, pela redenção de outro pecador; durante o jantar da quarta, em outra reunião, servem sopa de tartaruga. Talvez haja perturbações na Irlanda; fome; e os fenianos. Todas essas coisas. Na quinta, são os nativos do Peru que requerem proteção e ordem; nós lhes damos o que é conveniente. Mas, notem bem, o poder de nossa lei não termina aí. Nosso Império é cristão, sob o reinado de Vitória. Legislamos sobre o pensamento e a religião; sobre bebida, roupa, comportamento; casamento também; tudo sob o meu bastão. Sabemos que a prosperidade e a responsabilidade andam de mãos dadas. O soberano de um Império precisa ficar de olho nas camas, espiar nas cozinhas; nas bibliotecas; nas salas de estar; em todo e qualquer lugar onde duas pessoas, você e eu, se reúnam. Que a pureza seja nossa divisa; a prosperidade e a respeitabilidade também. Caso contrário, que apodreçam...*

(Interrompeu-se. Não: esquecera as palavras.)

– *Cripplegate; St. Giles; Whitechapel; as Minorias. Que derramem seu suor nas minas; que tussam debruçados nos teares; que suportem seu destino. Esse é o preço de um Império; esse é o ônus do homem branco. E, creiam-me, dirigir o tráfego ordenadamente no Hyde Park Corner, em Piccadilly Circus, é um serviço de homem branco, em tempo integral.*

* * *

Interrompeu-se, dominador, olhando fixamente de seu pedestal. Uma bela figura de homem, concordavam todos, estendendo seu bastão, a capa impermeável pendendo dos ombros. Bastava um golpe de chuva, uma revoada de pombos e o repicar dos sinos de St. Paul e da Abadia, para transformá-lo na verdadeira imagem de um comissário de polícia vitoriano; e para transportar a plateia até uma nevoenta tarde londrina, com as campainhas abafadas ou os sinos das igrejas repicando, no auge da prosperidade vitoriana.

Fez-se uma pausa. Ouviram-se as vozes dos peregrinos cantando enquanto entravam e saíam das árvores. A plateia esperava, sentada.

– Ora, ora – admoestou a sra. Jones –, havia grandes homens entre eles... – Não sabia por que, mas sentia que haviam ofendido seu pai e, portanto, a ela própria.

Etty Springett também fez um muxoxo. Contudo, era verdade que havia crianças trabalhando nas minas; havia o porão na sua casa; e papai só fazia ler Walter Scott em voz alta depois do jantar; e as mulheres divorciadas não eram recebidas na Corte. Como era difícil chegar a uma conclusão sobre essas coisas! Ela desejou que apressassem a cena seguinte. Gostava de sair de um teatro sabendo exatamente qual fora a mensagem. Naturalmente, aquilo não passava de uma representação de gente da aldeia... Estavam preparando a nova cena, em torno da caixa forrada de pelúcia vermelha. Ela leu no programa:

– "O Piquenique, 1860. Cenário: um lago. Personagens..."

Interrompeu-se. Haviam estendido um lençol no terraço. Aparentemente, um lago. Listras grosseiramente pintadas representavam ondas. Aqueles ramos verdes eram juncos. Belas andorinhas de verdade passavam rápidas sobre o lençol.

– Veja, Minnie! – exclamou ela. – Aquelas andorinhas são reais!

– Psiu... psiu! – Os outros a censuraram, pois a cena começara. Um jovem em calças bufantes e de suíças apareceu junto do lago, trazendo uma bengala esculpida.

EDGAR T.: *Deixe-me ajudá-la, srta. Hardcastle! Assim!* (Ele ajuda a srta. Eleanor Hardcastle, uma jovem usando saia de crinolina e um chapéu com a aba caída de um lado. Param um momento, um pouco ofegantes, contemplando a paisagem.)

ELEANOR: *Como a igreja parece pequena ali embaixo, entre as árvores!*

EDGAR: *Então esta é a Fonte do Peregrino, lugar de encontros.*

ELEANOR: *Por favor, sr. Thorold, termine o que estava dizendo, antes que os outros cheguem. Estava dizendo que: "Nosso objetivo na vida..."*

EDGAR: *Devia ser ajudar nossos semelhantes.*

ELEANOR (suspiro profundo): *Como isso é verdadeiro. Absolutamente verdadeiro!*

EDGAR: *Por que suspira, srta. Hardcastle? Não tem motivo para se censurar, logo a senhora cuja vida toda está a serviço dos outros. Eu estava pensando era em mim mesmo. Já não sou jovem. Aos vinte e*

quatro anos, a melhor parte da vida já se foi. *Minha vida passou* (ele joga uma pedra no lago) *como um frêmito nas águas.*
ELEANOR: *Oh, sr. Thorold, o senhor não me conhece. Não sou o que pareço ser. Também eu...*
EDGAR: *Não me diga, srta. Hardcastle, não posso acreditar, a senhora também duvidou da fé?*
ELEANOR: *Graças a Deus, isso não, isso nunca... Mas, protegida como estou, sempre em casa, abrigada como me vê, ou como pensa que estou. Ah, o que estou falando? Mas direi a verdade antes que mamãe apareça. Também eu senti grande desejo de converter os pagãos!*
EDGAR: *Srta. Hardcastle... Eleanor... Você me tenta! Posso me atrever a pedir que se case comigo? Tão jovem, tão bela, tão inocente. Imploro, reflita bem antes de responder.*
ELEANOR: *Já pensei muito... e de joelhos!*
EDGAR (tirando um anel do bolso): *Então... Com seu último suspiro, minha mãe me encarregou de dar esse anel somente àquela para quem uma vida inteira no deserto africano entre pagãos fosse...*
ELEANOR (pegando o anel): *Fosse a felicidade perfeita! Oh, silêncio!* (Ela guarda depressa o anel no bolso.) *Mamãe está chegando!* (Separam-se.)
(Entra a sra. Hardcastle, uma dama robusta vestindo bombazina preta, montada num burrico, escoltada por um cavalheiro idoso com barrete de caçador.)
SRA. H.: *Então adiantaram-se a nós, esses jovens. Houve um tempo, sir John, em que nós dois éramos sempre os primeiros a chegar ao topo. Agora...*
(Ele a ajuda a desmontar. Chegam crianças, rapazes, moças, carregando cestos, redes de caçar borboletas, binóculos, caixinhas de lata para guardar amostras de plantas. Estendem um tapete no chão, perto do lago, e a sra. H. e sir John sentam-se em cadeirinhas dobráveis.)
SRA. H.: *Agora, quem vai encher as chaleiras? Quem juntará os gravetos? Alfred* (dirigindo-se a um menino), *não corra por aí atrás de borboletas, senão você vai ficar doente... sir John e eu vamos abrir*

os cestos, aqui onde o capim está queimado, onde fizemos nosso piquenique no ano passado.
(Os jovens dispersam-se em diferentes direções. A sra. H. e sir John começam a tirar coisas de um cesto.)
SRA. H.: *No ano passado o pobre querido sr. Beach estava conosco. Teve uma morte abençoada.* (Ela tira do bolso um lenço de tarja negra e enxuga os olhos.) *A cada ano, um de nós fica faltando. Aqui está o presunto... o frango... nesse pacote, os pastéis...* (Ela espalha tudo sobre a relva.) *Como eu dizia, o pobre sr. Beach... Espero que o creme não tenha talhado. O sr. Hardcastle está trazendo o vinho. Sempre deixo esse serviço para ele. De vez em quando o sr. Hardcastle conversa com o sr. Pigott sobre os romanos... No ano passado quase discutiram sobre isso... Mas é bom que os homens tenham uma distração, embora caveiras e esse tipo de objetos antigos acumulem muita poeira... o que é que eu estava dizendo... o pobre e querido sr. Beach... Eu queria perguntar ao senhor* (ela baixa a voz), *como amigo da família, que tal o novo clérigo... Eles não podem nos ouvir, não é? Não, estão juntando os gravetos... No ano passado, que decepção! Mal tínhamos tirado nossas coisas dos cestos... começou a chover. Mas eu queria lhe perguntar sobre o novo clérigo, o que veio substituir o pobre sr. Beach. Disseram-me que o nome é Sibthorp. Espero estar certa, pois tive um primo que se casou com uma moça desse nome, e como o senhor é amigo da família, não precisamos fazer cerimônia... Quando se tem filhas – como o invejo, sir John, por ter uma filha só! Eu tenho quatro! Por isso peço que me diga, confidencialmente, algo sobre esse jovem... Como é o nome dele? Sibthorp. Pois devo lhe dizer que anteontem a nossa sra. Potts me contou casualmente que, enquanto passava pela casa paroquial, trazendo nossa roupa lavada, estavam descarregando os móveis do novo clérigo. E o que foi que ela viu em cima do armário? Um abafador para bule de chá! Naturalmente, ela podia estar enganada... De qualquer modo, me ocorreu perguntar ao senhor, como amigo da família, confidencialmente: o sr. Sibthorp tem esposa?*
Nisso, um coro de aldeões em mantos vitorianos, suíças e chapéus, começa a cantar:

– *Oh, o sr. Sibthorp tem esposa? Oh, o sr. Sibthorp tem esposa? Este é o verme na fruta, a abelha na touca, a mosca na sopa. Esses rodeios de um coração de mãe! Pois, se tem filhas, concebidas no leito de penas de ganso da família, uma mãe deve exclamar: Oh, ele desfez as malas com o livro de orações e o colarinho eclesiástico; a batina e o bastão; a chibata e as roupas de cama; o álbum de família e a carabina; e também descarregou este respeitável utensílio de mesa conjugal, o abafador de chá com um beija-flor bordado. Acaso o sr. Sibthorp tem esposa? Oh, o sr. Sibthorp tem esposa?*

Enquanto o coro cantava, os participantes do piquenique se tinham reunido. Rolhas saltaram. Cortaram o frango e o presunto. Maxilares trabalharam com ruído. Copos se esvaziaram. Nada se ouvia senão essa mastigação e o tilintar de copos.

– Eles comeram de verdade – sussurrou a sra. Lynn Jones a sra. Springett. – Comeram mesmo. Mais do que deviam, atrevo-me a dizer...

SR. HARDCASTLE (tirando fiapos de carne das suíças): *Agora...*

– *Agora o quê?* – sussurrou a sra. Springett, adivinhando o que se seguiria.

– *Agora que pagamos tributo ao corpo, devemos satisfazer ao espírito. Peço a uma das jovens que cante para nós.*

CORO DE MOÇAS: *Ah, eu não... não eu... Eu não poderia... Não, seu malvado, o senhor sabe que perdi minha voz... Não posso cantar sem acompanhamento... etc. etc.*

CORO DE RAPAZES: *Mas que enjoadas! Vamos cantar "Última rosa do verão". Vamos cantar "Nunca amei uma gazela".*

SRA. H. (autoritária): *Eleanor e Mildred vão cantar "Queria ser uma borboleta".*

(Eleanor e Mildred erguem-se obedientes e cantam em dueto "Queria ser uma borboleta".)

SRA. H.: *Muito obrigada, minhas queridas. E agora, cavalheiros, algo para nossa Pátria!*

(Arthur e Edgar cantam "Britânia, impere".)

SRA. H.: *Muito obrigada, sr. Hardcastle...*

SR. HARDCASTLE (pondo-se de pé, agarrando o fóssil que encontrara): *Vamos rezar.*
(O grupo inteiro põe-se de pé.)
– Mas isso é demais, é demais – protestou a sra. Springett.
SR. H.: *Deus todo-poderoso, doador de todas as boas coisas, nós vos agradecemos pela comida e pela bebida, pelas belezas da Natureza; pela inteligência que nos concedestes* (ele remexe em seu fóssil) *e pelo vosso grande dom da paz. Ajudai-nos a vos servir nesta terra; ajudai-nos a espalhar a luz de vosso...*
Nisso, as patas traseiras do burro, representado por Albert, o idiota da aldeia, começaram a agitar-se. De propósito ou por acidente?
– Vejam o burrico! Vejam o burrico!
Risadas abafaram a oração do sr. Hardcastle; depois, ouviram--no dizer:
– *... um retorno feliz ao lar, com corpos repousados pela vossa bondade, e mentes inspiradas pela vossa sabedoria. Amém.*
Segurando à frente o seu fóssil, o sr. Hardcastle afastou-se; o burrico foi apanhado, os cestos foram arrumados e, numa procissão, os participantes do piquenique começaram a desaparecer atrás da colina.
EDGAR (fechando a procissão com Eleanor): *Converter os pagãos!*
ELEANOR: *Ajudar nossos semelhantes!*
(Os atores desapareceram nos arbustos.)
BUDGE: *Damas, cavalheiros, está na hora de arrumar nossas coisas e partir. De onde estou, o bastão na mão, guardando a respeitabilidade, a prosperidade; a pureza das terras de Vitória, vejo diante de mim...* (ele apontou; lá estava Pointz Hall, as gralhas crocitando, a fumaça erguendo-se das chaminés).
O gramofone encetou a melodia: *Lar, doce Lar. Através dos prazeres e palácios etc. Não há lugar melhor do que o nosso Lar.*
BUDGE: *Lar, cavalheiros; lar, damas! Está na hora de arrumar tudo e voltar ao lar. Vejo labaredas* (apontou o dedo; uma janela

reluziu, esbraseada) *na cozinha, no quarto das crianças, na sala de estar e na biblioteca. É o fogo do lar. Vejam! Nossa Jane trouxe o chá. Agora, crianças, onde estão os brinquedos? Mamãe, depressa, o seu tricô! Pois eis que chega* (ele brandiu o bastão na cara de Cobbet, de Cobbs Corner) *aquele que ganha o pão, chega da cidade, vem para casa, saindo ou do escritório, ou da loja. "Mamãe, uma xícara de chá". Crianças, juntem-se ao meu redor. Vou ler em voz alta a que desejam ouvir? "Sindbad, o marinheiro?" Ou algum relato das Sagradas Escrituras? Ou preferem que lhes mostre só as figuras? Nada disso? Então tragam seus jogos de armar. Vamos armar um conservatório. Um laboratório? Um instituto de mecânica ou uma torre com nossa bandeira no topo, onde nossa Rainha Viúva reúne seus filhos, os orfãos reais, depois do chá. Pois é isso o lar, damas e cavalheiros. Por mais humilde que seja, não há lugar tão bom quanto o nosso lar.*

O gramofone garganteou: "Lar, doce Lar" – e cambaleando de leve, Budge desceu de seu caixote e seguiu a procissão que se retirava do palco.

* * *

Houve um intervalo.

– Ah, era tão lindo – comentou a sra. Jones. Referia-se a seu lar, à sala iluminada, às cortinas rubras, ao pai lendo em voz alta.

Agora enrolavam o lago e tiravam os juncos. Andorinhas de verdade roçavam a relva de verdade. Mas ela ainda via o seu lar.

– Era... – repetiu, referindo-se a ele.

– Eu diria que foi algo abstrato e sórdido – comentou Etty Springett, referindo-se à peça e lançando um olhar furioso para as calças verdes de Dodge, a gravata de poás amarelos e o colete desabotoado.

A sra. Lynn Jones, no entanto, ainda via o seu lar.

Haveria – refletiu enquanto afastavam o caixote de Budge, haveria em relação a lar algo, não impuro, não era essa a palavra, mas talvez "anti-higiênico"? Como um pedaço de carne estragada, "com barba", como diziam as criadas? Por que tudo aquilo se fora? O tempo não parava de avançar, como os ponteiros do relógio da cozinha. (O aparelho chiava nos arbustos.) *Se não encontrassem resistência,* pensou, *ainda estariam girando, girando, girando.* O Lar teria permanecido, e a barba de papai, pensou, teria crescido e crescido; e também o tricô de mamãe – o que fazia ela com tantos tricôs? Contudo, as coisas haviam mudado, ponderou; do contrário, haveria hoje milhas de barba de papai e milhas de tricô de mamãe. Hoje em dia, seu genro tinha rosto escanhoado. A filha possuía um refrigerador... Deus do céu, como estou divagando, percebeu. O que queria dizer era que as coisas haviam mudado; do contrário, seriam perfeitas e, nesse caso, ela imaginava, resistiriam ao tempo. O Céu não era imutável.

– Eles eram mesmo assim? – perguntou Isa bruscamente. Olhava a sra. Swithin como se fitasse um filhote de dinossauro ou um mamute ainda pequeno. Ela já deveria estar extinta, pois vivera no reinado de Vitória.

Tique, tique, tique, fazia o aparelho nos arbustos.

– Os vitorianos – refletiu a sra. Swithin –, não creio que algum dia tenha existido gente assim – disse, com seu sorrisinho singular. – Eram como você e eu, e William, apenas com outras roupas.

– É que a senhora não acredita na História – disse William.

O palco continuava vazio. Vacas moviam-se no campo.

As sombras apareciam mais densas sob as árvores.

A sra. Swithin acariciava seu crucifixo, contemplando vagamente a paisagem. Adivinharam que ela partira num passeio da imaginação, em círculos, para unificar todas aquelas coisas tão diversas. Carneiros, vacas, gramados, árvores, nós mesmos – tudo uma coisa só. Ainda que discordemos, a harmonia acaba por surgir: se não a escutamos, ouve-a uma gigantesca orelha presa a uma cabeça gigantesca. Assim – ela sorria, benevolente –, a agonia de cada carneiro, de cada vaca ou de cada ser humano é necessária; assim – ela sorria angelicamente para o cata-vento coberto de ouro ao longe –, assim podemos concluir que tudo é harmonia, desde que saibamos ouvir. E conseguiremos isso. Agora, seus olhos pousavam na alva fímbria superior de uma nuvem. Se esses pensamentos a consolavam, então que pensasse assim. William e Isa sorriram um para o outro, por cima dela.

Tique, tique, tique, repetia o aparelho.

– Você tem ideia do que ela está querendo? – disse a sra. Swithin, despertando subitamente. – A srta. La Trobe?

Isa, cujos olhos vagueavam ao acaso, sacudiu a cabeça.

– Mas de Shakespeare pode-se dizer o mesmo – comentou a sra. Swithin.

– Shakespeare e os sininhos de cristal! – interveio a sra. Manresa. – Meu Deus, quando vocês falam assim, sinto-me um verdadeiro bárbaro!

Virou-se para Giles, como se pedisse ajuda contra essa cultura que ameaçava suas ideias sobre as alegrias naturais do coração.

– Besteiras – murmurou Giles. Nada, no entanto, aparecia no palco.

Dardos vermelhos e verdes reluziram nos anéis da sra. Manresa. Ele afastou os olhos dos anéis para tia Lucy. Dela para William Dodge. Dele para Isa, que se recusou a encará-lo. Depois, baixou os olhos para seus tênis ensanguentados.

E disse (sem palavras): Sinto-me terrivelmente infeliz.

Eu também, ecoou Dodge.

Eu também, pensou Isa.

Estavam aprisionados; engaiolados, assistindo a um espetáculo. Nada acontecia. O tique-tique do aparelho era enlouquecedor.

– *Adiante, burrico* – cantarolou Isa –, *atravessando o deserto... levando sua carga...*

Sentia o olhar de Dodge enquanto seus lábios se moviam. Sempre havia algum olho frio rastejando sobre a superfície, como uma mosca azul. Ela o espantou com um piparote.

– Como demoram! – exclamou, irritada.

– Mais um intervalo – leu Dodge, olhando o programa.
– E depois o que mais? – perguntou Lucy.
– A época atual. Nós – leu ele.
– Que Deus nos ajude, e que isso seja o fim – disse Giles, mal-humorado.
– Agora você está se mostrando detestável – a sra. Manresa repreendeu o seu menino, o seu herói casmurro.

Ninguém se movia. Ficaram sentados, encarando o palco vazio, as vacas, os campos e a paisagem, enquanto o aparelho zumbia nos arbustos.

– Qual o objetivo desse espetáculo? – disse Bartholomew de repente, erguendo-se.

– A renda se destina à verba para instalar luz elétrica na igreja – leu Isa em sua cópia a carbono borrada.

– Todas as festas na aldeia terminam com um pedido de dinheiro – bufou o sr. Oliver, voltando-se para a sra. Manresa.

– Claro, claro – murmurou ela, como se censurasse a severidade dele, e as moedas tilintaram em sua bolsinha de contas.

– Na Inglaterra não se faz nada de graça – prosseguiu o velho.

A sra. Manresa protestou. Talvez fosse verdade quanto aos vitorianos; mas certamente não em relação a nós, hoje em dia. Ela acreditava mesmo que fossem desinteressados?, indagou o sr. Oliver.

– Ah, o senhor não conhece meu marido! – exclamou a filha da natureza, como se assumisse uma pose.

Mulher admirável! Sem dúvida, anunciaria as horas quando o relógio soasse, e se deteria como um velho burro puxando um ônibus quando tocassem a sineta. Oliver calou-se. A sra. Manresa tirou um espelhinho da bolsa e retocou o rosto.

Todos estavam com os nervos à flor da pele. Sentados ali, expostos. O aparelho tiquetaqueando. Nada de música. Ouviam-se buzinas de carros na estrada. E o farfalhar das ramagens. Eles, ali, não pertenciam a nada; não eram vitorianos, nem eram eles mesmos. Estavam suspensos como num limbo, sem existência verdadeira. Tique, tique, tique, fazia o aparelho.

Isa remexeu-se e lançou um olhar por cima do ombro para a direita e para a esquerda.

– *Vinte e quatro metros num fio* – cantarolou. – *E chegaram uma avestruz, uma águia, um carrasco.*
... "*Qual de vós está maduro para assar meu pastel?*", perguntou ele. "*Qual está maduro, qual está pronto, venha, meu belo cavalheiro, Venha, minha bela dama...*"
Quanto tempo ela os faria esperar? "A época atual. O presente. Nós mesmos". Leram nos programas. Leram o que vinha a seguir: "A renda se destina à verba para instalar luz elétrica na igreja". Onde ficava a igreja? Ali. Podia-se ver a torre por entre as árvores.

"Nós mesmos...". Voltaram aos programas. Mas o que podia ela ver a respeito de "nós mesmos"? Os elisabetanos, sim; os vitorianos, talvez; mas nós mesmos, sentados aqui num dia de junho de 1939 – era ridículo. E "mesmos" era algo impossível. Outras pessoas, talvez... Cobbet, de Cobbs Corner; o major; o velho Bartholomew; a sra. Swithin... Sim, eles, talvez. A mim, porém, ela não pegara, não a mim.

A plateia se remexia, inquieta. Risadas nos arbustos.

Contudo, ninguém aparecia no palco.

– Por que ela nos faz esperar tanto? – perguntou irritado o coronel Mayhew. – Não precisam vestir fantasias para representar o tempo presente.

A sra. Mayhew concordou. A não ser que fossem terminar com o grande conjunto final. Exército, Marinha, bandeira inglesa e talvez atrás deles – a sra. Mayhew imaginou o que teria feito se fosse a dona da representação – a igreja. De papelão. Uma janela dando para o oeste, brilhantemente iluminada, para simbolizar... Bem, ela poderia pensar em algo assim quando chegasse a hora.

– Lá está ela, atrás da árvore – sussurrou, apontando para a srta. La Trobe.

Estava ali plantada com os olhos no texto. "Depois de Vic", escrevera, "tentar dez minutos do tempo presente. Andorinhas, vacas etc.". Queria fazer com que se defrontassem com a realidade presente, que sofressem o seu impacto. A experiência, porém, não estava dando certo.

– A realidade é forte demais – murmurou. – Malditos! – E sentiu tudo o que eles sentiam. Plateias eram o diabo. Ah, como seria bom escrever uma peça sem plateia: a peça. Mas ali estava ela, diante da sua plateia. A cada segundo, escapavam mais e mais do laço. Seu pequeno jogo saíra errado. Se pelo menos tivesse um pano de fundo para pendurar entre as árvores – para encobrir as vacas, as andorinhas, o tempo presente! Mas não dispunha de coisa alguma. Proibira a música. Enfiando os dedos na casca da árvore, amaldiçoava os assistentes. O pânico tomou conta dela. Parecia haver sangue escorrendo de seus sapatos. A morte, morte, morte – anotou a margem da mente; a morte, quando a ilusão fracassa. Incapaz de erguer a mão, permaneceu imóvel, encarando a plateia.

Então a chuva caiu, súbita e abundante.

Ninguém vira a nuvem chegar. Ali estava, negra, intumescida, por cima deles. E chovia como se todas as pessoas do mundo chorassem. Lágrimas, lágrimas. Lágrimas.

– Oh, se a nossa dor humana pudesse ter um fim! – murmurou Isa.

Erguendo os olhos, recebeu em pleno rosto duas grossas bategas de chuva. Escorreram por suas faces como se fossem suas próprias lágrimas. Eram, porém, as lágrimas de todo mundo chorando por todo mundo. Mãos ergueram-se. Aqui e ali abriu-se um guarda-sol. A chuva era inesperada e universal. Depois, parou. Da relva exalou-se um odor de terra fresca.

– Isso foi o fim – suspirou a srta. La Trobe, enxugando as gotas de seu rosto. Mais uma vez a natureza desempenhara sua parte. O risco que correra representando ao ar livre fora justificado. Ela brandia o papel com o texto. A música começou: Lá, si,

dó – lá, si, dó. A mais simples das melodias. Agora que a chuva caíra, era outra voz falando, a voz que não pertencia a ninguém. A voz que chorava pela infinita dor humana, dizia:
O rei na sala do tesouro
Contando ouro
A rainha em seu quarto...
– Ah, se minha vida pudesse terminar aqui – murmurou Isa, cuidando para não mexer os lábios. Daria todo o seu tesouro àquela voz, desde que as lágrimas cessassem. Daria tudo por aquele pequeno toque sonoro. Colocaria seu sacrifício sobre o altar da terra encharcada...
– Olhem, olhem! – gritou em voz alta.
Era uma escada. E aquilo (um pano grosseiramente pintado) era uma parede. E aquilo mais, um homem com um cesto às costas. O sr. Page, o repórter, anotou, molhando o lápis na língua: "Com os meios limitados de que dispunha, a srta. La Trobe mostrou à plateia a civilização (uma parede) em ruínas; reconstruída (veja-se o homem com o cesto às costas) com esforço humano; veja-se também a mulher que alcança os tijolos. Qualquer tolo poderia entender o sentido disso tudo. Agora surge um homem preto com uma peruca em carapinha; e um homem cor de café com um turbante prateado; presumivelmente representam a Liga de..."
Aplausos retumbantes saudaram esse tributo a "nós mesmos". Tudo muito elementar, naturalmente, pois a srta. La Trobe precisara economizar. Um simples pano pintado tinha de representar o que o *Times* e o *Telegraph* diziam naquela mesma manhã em seus editoriais.
A melodia recomeçou:
O rei na sala do tesouro
Contando ouro,
A rainha em seu quarto,
Pão e mel...
Súbito a música cessou. Modificou-se a melodia.

Era uma valsa? Algo vagamente conhecido. As andorinhas dançavam ao ritmo dessa melodia. Voavam girando. Andorinhas de verdade. Avançando e recuando. E as árvores, ah, as árvores, eram graves e apaziguadas, como senadores num conselho, ou como os pilares da nave de uma catedral... Sim, eles barravam a música que se acumulava e se amontoava, e evitavam que essa coisa fluida transbordasse. As andorinhas – ou eram martinetes? Os martinetes que povoavam o templo, que desde sempre vieram... Sim, pousados na parede, pareciam anunciar o que o *Times* dissera ontem. Lares serão construídos. Cada apartamento terá um refrigerador embutido num nicho da parede. Cada um de nós será um homem livre. Haverá máquinas para lavar louça. Nenhum avião nos amedrontará. Tudo será liberado, tudo unificado...

 A música se modificou; saltou, interrompeu-se, cambaleou. Era um foxtrote? Era jazz? De qualquer modo, o ritmo saltitou e empinou-se, agitado. Que confusão! Com os meios de que a srta. La Trobe dispunha, não se podia exigir grande coisa. Que cacofonia! Nada chegava ao fim.

 Tudo tão abrupto – e corrupto. Que insulto, que loucura. E nada fácil. Mas também muito moderno. Qual é a intenção dela? O que pretende? Demolir? Fazer correr, trotar? Fazer saltar e contorcer-se? Enfiar o dedo no nariz? Envesgar os olhos e olhar de soslaio? Espreitar, espionar? Oh, a irreverência da geração que apenas momentaneamente – graças a Deus – e "jovem". Os jovens – que não conseguem construir, apenas desmoronar; fragmentar a antiga visão; esfarinhar em átomos o que era um todo. Quanto cacarejo, quanto gargarejo – tal como se diz do pica-pau, o pássaro que voa gargalhando de árvore em árvore.

 – Vejam! Estão saindo dos arbustos num bando desordenado. Crianças? Moleques... Demônios. Segurando o quê? Latas? Candelabros? Velhas jarras? Meu Deus, o espelho giratório da casa paroquial! E o espelho de mão que eu emprestei a ela. Era de minha mãe. E está rachado. Qual é a intenção, afinal? Alguma coisa luminosa que refletisse a nós mesmos! Nós mesmos! Nós mesmos!

Lá vinham eles, saltando, contorcendo-se, girando, dançando, rápidos como relâmpagos. Os espelhos que traziam flagraram o velho Bart... Agora, a sra. Manresa. Aqui, um nariz... Ali, uma saia... Depois, apenas um par de calças... Agora, quem sabe, um rosto... Nós mesmos? Que coisa cruel. Flagrar-nos assim como somos, antes de termos tempo de assumir... E apenas fragmentos... É isso que nos apresenta tão distorcidos e nos irrita e parece tão desleal.

Virando-se, inclinando-se, girando, os espelhos dardejavam, relampejavam, expunham. Pessoas nas filas de trás levantaram-se para ver aquela coisa engraçada, mas sentavam-se logo depois, pois enxergavam a si mesmas... Que exposição horrível! Até os velhos, que a gente imaginava já não terem de cuidar de seus rostos... Deus do céu! O estrépito, a zoeira! Até as vacas participavam. Galopando, balançando os rabos, quebrando a discrição da natureza, foram desfeitas as barreiras que deveriam separar o homem e os animais. Depois, também os cães entraram no jogo. Empolgados pela agitação, chegavam, preocupados e vigilantes. Vejam os cães! E aquele afegane... Olhem para ele!

Depois, na confusão que agora escapara de seu controle, viram a srta. Qual-Era-Mesmo-Seu-Nome atrás da árvore! Então emergiram dos arbustos – ou foram eles que se afastaram – a rainha Elizabeth, a rainha Ana, e a jovem da Alameda; a Idade da Razão, e Budge, o policial. Lá vinham todos eles. E os peregrinos. E os amantes. E o relógio do avô. E o velho de barba. Todos apareceram. Cada um declamava uma frase ou um fragmento de sua parte... *Não estou* (dizia um) *em meu perfeito juízo...* Outro: *Sou a Razão... E Eu? Eu sou o velho chapéu... O caçador volta da colina... Para casa? Onde o mineiro transpira, e a fé da donzela é rudemente prostituída... Doce e brando, doce e brando vento dos mares do oeste... É um punhal que vejo diante de mim?... O mocho pia e a hera zomba batendo, tap, tap, tap, na vidraça... Senhora, eu vos amarei até morrer, deixai vosso aposento e vinde... Onde o verme urde o seu lençol enroscado... Serei uma borboleta, queria ser uma borboleta... Nossa paz está na Vossa vontade... Aqui, papai, pegue seu livro e leia em voz alta... Ouçam, ouçam, os cães latem e os mendigos...*

O espelho giratório era pesado demais. Com toda a sua força o jovem Bonthorp não conseguia mais carregar aquela maldita coisa. Então parou. Todos pararam – espelhos de mão, latas, fragmentos de louça, de vidro, e espelhos com pesadas molduras de prata –, tudo parou. E a plateia contemplou a si mesma, não como um todo, mas sentada, imóvel.

Os ponteiros do relógio haviam parado no momento presente. Era agora. Nós mesmos.

Então era esse o pequeno jogo dela! Mostrar-nos como somos, aqui e agora. Todos deslocados, afetados, falseados; as mãos erguidas, as pernas fora do lugar. Até Bart, até Lucy viraram o rosto para não ver. Todos se evadiram ou se cobriram – exceto a sra. Manresa, que, vendo-se no espelho, usou-o simplesmente como espelho, logo depois tirando da bolsa o seu espelhinho de mão: empoou o nariz e recolocou no lugar certo um cacho de cabelo que a brisa deslocara.

– Magnífico! – gritou o velho Bartholomew.

Somente ela preservara sua identidade, sem qualquer pudor, e defrontara-se consigo mesma, sem pestanejar. Calmamente pintava os lábios.

Os carregadores dos espelhos se agrupavam, maliciosos, atentos, observando, expectantes, reveladores.

– São eles, sim – diziam os das fileiras de trás, com risinhos disfarçados.

– Precisamos mesmo nos submeter passivamente a essa humilhação? – perguntava a fila da frente.

Cada um virou-se ostensivamente para o vizinho, dizendo a primeira coisa que lhe ocorreu. Todos tentaram mover-se uma polegada ou duas para fugir daquele olho insultante e inquisidor. Alguns fizeram menção de ir embora.

– Acho que a peça terminou – resmungou o coronel Mayhew, apanhando o chapéu. – Está na hora...

Contudo, antes que tivessem chegado a uma conclusão, ouviram uma voz. Ninguém sabia de quem era. Vinha dos arbustos, numa afirmação megafônica, anônima e reverberante. Disse:

– *Damas e cavalheiros, antes de nos separarmos, antes de partirmos...* (os que se tinham levantado sentaram-se) *falemos em palavras simples, sem rodeios, enfeites ou hipocrisia. Quebremos o ritmo, esqueçamos a rima. Pensemos calmamente em nós mesmos. Nós mesmos. Alguns, ossudos; outros, gordos (os espelhos confirmavam). A maioria de nós, mentirosos. Ladrões (os espelhos não fizeram nenhum comentário sobre isso). Os pobres, tão maus quanto os ricos. Talvez piores. Não se escondam atrás de seus farrapos, não queiram abrigar-se em suas roupas. Nem se ocultem atrás do saber que buscam nos livros; nos exercícios ao piano; nos quadros que pintam. Não presumam que a infância seja inocente: pensem nos carneiros. Ou que exista lealdade no amor: pensem nos cães. Ou que exista virtude nos cabelos brancos: pensem nos que matam com fuzis e jogam bombas. Eles fazem abertamente o que nós praticamos furtivamente. Por exemplo* (o megafone assumiu um tom coloquial), *vejam o bangalô da sra. M. Estragou para sempre a paisagem. Isso é um crime... Ou o batom da sra. E. e suas unhas vermelhas. Lembrem-se de que o tirano é um meio-escravo. Ou pensem na vaidade do sr. H., o escritor, escavando num monte de esterco à procura de sua glória barata! Depois pensem na amável condescendência da castelã – suas maneiras de classe superior. Comprando ações na Bolsa para revendê-las. Oh, somos todos iguais. Pensem agora em mim. Acaso escapo a minha própria censura, simulando indignação, aqui entre as folhas destes arbustos? Uma canção sugere que, apesar deste protesto e desejo de imolação, também eu tive um pouco do que se chama educação... Olhemos para nós mesmos, damas e cavalheiros! Depois para a construção, e perguntemos como é essa construção, a grande construção que chamamos, talvez erradamente, de civilização, a ser erigida com* (os espelhos cintilaram e relampejaram) *fragmentos, pedaços, lascas, tal como nós mesmos?*

De qualquer modo, aqui passo (com a canção) para um assunto mais elevado – há algo a ser dito: em favor de nossa bondade para com os gatos; ou coisas como as que se leem no jornal de hoje: "Amado por sua esposa"; e o impulso que nos leva – quando ninguém está olhando – para a janela à meia-noite, a fim de aspirarmos o perfume das ervilhas. Ou a recusa decidida de algum miserável, sujo, de sandálias, que não quer vender sua alma. Existe tal coisa... Não se pode negar o quê? Não podem ver? Tudo o que conseguem enxergar de si mesmos são lascas, pedaços, fragmentos. Bem, então ouçam o gramofone, que diz... Nisso, tudo enguiçou. Os discos estavam misturados.

Foxtrote, Doce Alfazema, Lar, Doce Lar, Britânia, Impere... Transpirando profusamente, Jimmy, o encarregado da música, jogou-os fora e colocou o disco certo: era Bach, Handel, Beethoven, Mozart, ou talvez ninguém famoso, apenas uma melodia tradicional? De qualquer modo, graças a Deus, era alguém falando, depois do alarido daquele megafone infernal.

Como a prata do mercúrio deslizando, limalha imantada, os dispersos se reuniram. A música começou; a primeira nota chamou a segunda; a segunda invocou a terceira. Depois, sob essa música, nasceu uma força oposta, e outra ainda. Divergiam em níveis diferentes. Em níveis diferentes, nós mesmos avançávamos; alguns colhendo flores na superfície, outros descendo ao fundo para lutar com o sentido de tudo aquilo; todos, porém, compreendendo; todos engajados. Toda a população da imensurável profundeza da mente acorria; os desprotegidos, os esfolados; e nasceu a aurora e o azul; o equilíbrio nasceu do caos e da cacofonia; contudo, não era a melodia da superfície que sozinha exercia esse controle; também os guerreiros emplumados, separando-se – para irem embora? Não. Impelidos dos confins do horizonte, chamados da beira de espantosos abismos, entrechocaram-se, fundiram-se, uniram-se. E alguns relaxaram os dedos; outros descruzaram as pernas.

Aquela voz éramos nós mesmos? Lascas, pedaços, fragmentos – então é isso que somos? A voz extinguiu-se.

Tal como as ondas, retirando-se, desnudam; tal como a névoa, erguendo-se, revela; assim, levantando os olhos (os da sra. Manresa estavam úmidos; por um instante, lágrimas devastaram a face empoada), viram as águas que se afastavam, fazendo aparecer a botina de um vagabundo. Viram um homem com colarinho de clérigo, subindo, subreptício, num caixote de sabão. "O reverendo G. W. Streatfield", anotou o repórter passando o lápis na ponta da língua, "falou então..."

Todos o contemplavam com olhar fixo. Que intolerável constrição, contração e redução ao mais puro absurdo era esse homem – de todas as visões incongruentes do mundo, um clérigo era a mais grotesca quando obrigado a encerrar a solenidade. Abriu a boca. Ó Deus, protegei-nos e preservai-nos de palavras impuras, de palavras corruptas! Que necessidade temos de palavras para nos lembrarmos a nós mesmos? Acaso sou Thomas; e você, Jane?

Como um corvo que pousasse despercebido num ramo seco e proeminente, ele tocou o colarinho e emitiu seu primeiro crocitar. Um fato abrandou tamanho horror; seu indicador, erguido da maneira habitual, estava manchado de nicotina. Então, ele não era tão mau assim; o reverendo G. W. Streatfield: um móvel de igreja tradicional; um armário num canto; a parte superior de um grande portão, esculpida por gerações de carpinteiros da aldeia conforme algum modelo perdido nos nevoeiros do tempo.

Encarou a plateia e depois olhou o céu. Todos, os nobres e os simples, sentiram-se constrangidos por ele, por si mesmos. Ali estava o seu porta-voz, o seu representante; o seu símbolo – eles mesmos; um tolo, alvo de zombarias, de quem os espelhos riam; a quem as vacas ignoravam; condenado pelas nuvens que prosseguiam sua majestosa configuração da paisagem celestial; um graveto, irrelevante na torrente majestosa do silencioso mundo estival.

Suas primeiras palavras (a brisa soprava; as folhas farfalhavam) perderam-se. Depois ouviram-no dizer:

– Que... – E a essa palavra acrescentou: – mensagem. – Por fim, brotou uma frase inteira, incompreensível, quase inaudível. Parecia indagar:

– Que mensagem pretendeu nos dar esse espetáculo?

Todos cruzaram as mãos como se estivessem na igreja.

– Tenho perguntado a mim mesmo – as palavras se repetiam, que significado ou mensagem pretendia transmitir esse espetáculo.

Se ele, como sacerdote, e ainda por cima mestre em artes, não sabia, quem haveria de saber?

– Como integrante da plateia – prosseguiu, e agora as palavras começavam a fazer algum sentido –, quero consignar aqui a minha interpretação, com humildade, pois não sou crítico. – O dedo manchado de nicotina tocou no alvo círculo do colarinho eclesiástico. – Não, interpretação é palavra ambiciosa demais. A talentosa senhora... – olhou em torno, mas a srta. La Trobe estava invisível, de modo que ele continuou: – Falando meramente como integrante da plateia, confesso que fiquei perplexo. Por que, indaguei, nos apresentarem essas cenas? Resumidas, é verdade, pois os meios de que dispúnhamos eram limitados. Mas vimos vários grupos representando e, se não me engano, tratou-se de um esforço contínuo. Alguns se destacaram; a malona ficou passando no fundo. Isso foi algo que nos mostraram, e, sem dúvida, nós o vimos. Mas, mais uma vez, não terão pretendido nos fazer compreender... Acaso estarei sendo presunçoso demais? Como um anjo, estarei totalmente seguindo por trilhas onde não deveria andar? Pelo menos, para mim, houve uma sugestão de que somos parte uns dos outros. E que cada parte é o todo. Sim, foi isso que me ocorreu, sentado aqui, entre os senhores, na plateia. Não percebi o sr. Hardcastle – apontou-o com o dedo –, que, século atrás, foi um viking? E lady Harridan, perdoem se digo os nomes errados, como um peregrino de Canterbury? Desempenhamos papéis diversos, mas somos os mesmos. Meditem sobre isso. Depois, enquanto o espetáculo continuava, minha atenção desviou-se: talvez fosse intenção da autora. Pensei estar vendo que a natureza também representa um papel. E indaguei: não será ousadia excessiva querermos limitar a vida a nós mesmos? Esquecemos que existe um espírito a inspirar e a pervadir tudo isso... – As andorinhas esvoaçaram em volta dele. Pareciam entender o que dizia. Depois, desapareceram – Meditem sobre isso. Não estou aqui para dar explicações. Não me designaram para tal função. Falo apenas como integrante da plateia, um de nós mesmos. Também me vi refletido num espelho que, aliás, por acaso era o meu... – Risos – Lascas, pedaços e fragmentos! Certamente devemos unir tudo isso!

– Mas – o "mas" marcava o novo parágrafo – também falo com outra qualificação, a de tesoureiro da igreja, e, como tal – consultou uma folha de papel – sinto-me feliz em dizer que o espetáculo desta tarde nos deixou uma renda de trinta e seis libras, dez xelins e oito penes, fazendo com que cheguemos mais perto de nosso objetivo: a iluminação de nossa querida velha igreja.

"Aplausos", anotou o repórter.

O sr. Streatfield fez uma pausa. Ficou à escuta, como se ouvisse uma música distante. Depois prosseguiu:

– Mas ainda temos um *déficit* – consultou os papéis – de cento e setenta e cinco libras. Assim, cada um de nós ainda tem a opor... – A palavra foi cortada ao meio por um forte zumbido. Doze aviões passavam por cima deles, em formação perfeita, como um bando de patos selvagens. Era esta a música que ele ouvira. A plateia ficou boquiaberta, os olhos arregalados, fixos. O zumbido transformou-se num ronco, e os aviões se foram. – ... tunidade – prosseguiu o sr. Streatfield – de dar a sua contribuição.

Ele fez um sinal, e imediatamente várias caixas de coleta emergiram dos esconderijos atrás dos espelhos. Moedas de cobre matraqueavam; as de prata tilintavam. Mas que pena... Todos se sentiram humilhados. Pois lá vinha Albert, o idiota, sacudindo sua caixa de coleta – uma molheira de alumínio sem a alça. Não se podia dizer "não" ao pobre coitado. Jogaram xelins em sua molheira. Ele os fazia matraquear e seguia adiante, com risinhos abafados; emitia sons inarticulados, movia-se desajeitadamente. Quando a sra. Parker deu sua contribuição – meia libra –, pediu ao sr. Streatfield que exorcizasse aquele mal e desdobrasse a proteção do seu hábito clerical.

O bom homem contemplou o idiota com benevolência, como se dissesse que na sua fé também havia lugar para ele e que ele, o idiota da aldeia, também fazia parte de nós mesmos. Não, porém, uma parte que gostássemos de admitir, acrescentou a sra. Springett em silêncio, deixando cair suas moedas.

Contemplando o idiota, o sr. Streatfield perdeu o fio do discurso. Seu domínio das palavras parecia ter-se desfeito. Remexeu no pequeno crucifixo que pendia da corrente do relógio de bolso. Depois, sua mão procurou o bolso da calça. Disfarçadamente tirou dele uma caixinha de prata. Estava claro para todos que o desejo natural do homem natural o dominava. Palavras já não faziam sentido.

– E, agora – recomeçou, ajeitando o acendedor de cachimbo na palma da mão –, a parte mais agradável do meu dever. Prover um voto de gratidão à distinta e talentosa dama... – Olhou em torno, para ver se encontrava um objeto que correspondesse à sua descrição, mas não se via nada – que, parece, deseja permanecer anônima. – Pausa. – E assim... – Nova pausa.

Foi um momento desconcertante. Como concluir? Agradecer a quem? Todos os sons da natureza tornaram-se penosamente audíveis; o farfalhar das árvores; a respiração de uma vaca; até o roçar das andorinhas na relva. Ninguém disse uma palavra. A quem poderiam responsabilizar ou agradecer pelo espetáculo daquela tarde? Não havia ninguém?

Ouviu-se então um rumor atrás dos arbustos; um chiado preliminar, premonitório. Uma agulha arranhava um disco – chhh... chhh... chhh; encontrando o sulco, emitiu um som claro:

Deus... (todos ficaram de pé) salve o rei

Parada, a plateia defrontava-se com os atores; que também se postavam, quietos, com suas caixas de coleta, escondendo os espelhos, os trajes variados pendendo hirtos do corpo.

Feliz e glorioso
Reine por muito tempo sobre nós,
Deus salve o rei.

As notas musicais se extinguiram.

Era esse o final? Os atores relutavam em partir. Retardavam-se, misturavam-se uns aos outros. Budge, o policial, conversava com a rainha Elizabeth. A Idade da Razão confraternizava com a parte dianteira de um burrico. E a sra. Hardcastle abria as dobras de sua saia de crinolina. E a pequena Inglaterra, ainda criança, chupava uma pastilha de hortelã. Todos representavam o papel ainda não representado que lhes era conferido por seus trajes. Eram belos, e a beleza os revelava. Seria efeito da luminosidade? Dessa luz branda, fanada, cândida, mas penetrante, do entardecer, que revela profundezas na água e torna radiantes até mesmo os tijolos alaranjados de um bangalô?

– Vejam – sussurrava a plateia. – Vejam, vejam.

– E aplaudiram mais uma vez; os atores juntaram as mãos e curvaram-se.

A velha sra. Lynn Jones, procurando sua bolsa, suspirou:

– Que pena... Eles têm mesmo de mudar de roupa?

Mas estava na hora de arrumarem tudo e partirem.

– Para casa, damas e cavalheiros – assobiava o repórter, prendendo o elástico em torno de seu caderno de notas. – Está na hora de arrumar as coisas e partir.

E a sra. Parker debruçava-se:

– Receio ter perdido minha luva. Sinto muito incomodá-lo. Ali embaixo entre as cadeiras. O gramofone afirmava triunfante:

"*Dispersos estamos, nós que nos reunimos. Mas* (insistia o gramofone) *conservemos em nós o que faz nascer essa harmonia*". O auditório fez eco (enquanto se abaixava, procurava aqui, remexia ali): Permaneçamos unidos. Pois estarmos juntos nos dá uma suave alegria.

Dispersos estamos – repetia o gramofone.

E, voltando-se, viram as janelas esbraseadas, cada uma banhada pela aura do sol; e murmuravam:

– Para casa, cavalheiros; para o doce... – mas pararam um momento, talvez vendo, através de toda essa glória dourada, uma rachadura na caldeira, um furo no tapete, ou escutando o gotejar cotidiano das despesas do dia.

Dispersos estamos – informava o gramofone. E mandou-os embora. Assim, endireitando-se pela última vez, cada um agarrando alguma coisa, talvez um chapéu, uma bengala, um par de luvas, aplaudiram pela última vez Budge e a rainha; as árvores; a estrada alva; a abadia de Bolney; e Folly. Cumprimentaram-se e se dispersaram pelos gramados, pelas veredas, passando pela casa em direção ao semicírculo de cascalho amarelo, atulhado de carros, bicicletas e motocicletas.

Amigos saudavam-se.

– Acho que aquela srta. Qualquer-Coisa devia ter aparecido, e não ter deixado o pároco... – dizia alguém. – Afinal foi ela quem escreveu a peça... E achei até muito inteligente... Ó meu Deus, achei absolutamente medíocre. Você entendeu o significado? Bem, ele disse que ela queria dizer que todos nós representamos um papel... E, se entendi direito, disse igualmente que a natureza também representa o seu papel... Depois, aquele idiota... E por que deixaram de fora o Exército, se é ele que faz a História, como dizia o meu marido? E se um mesmo espírito anima o todo, o que dizer dos aviões?... Ah, mas você é minuciosa demais. Afinal, foi apenas um teatro de aldeia... Eu, por mim, acho que deviam ter feito um agradecimento aos donos da propriedade. Quando tivemos a nossa representação, foi preciso esperar o outono

para que os gramados se recuperassem... Pois mandamos instalar tendas... Aquele é Cobbet, de Cobbs Corner, o homem que ganha todos os prêmios em todas as exposições. De minha parte, não gosto nem de flores de exposições e muito menos de cães premiados...
Dispersos estamos – dizia o gramofone em tom triunfal, embora lamentoso – *Dispersos estamos...*
– Mas – tagarelavam as velhas damas – tinham mesmo de fazer economia. É difícil conseguir que as pessoas venham aos ensaios nessa época do ano. Há o feno a ser colhido, sem falar no cinema... Precisamos de um Centro para nos reunirmos... Os Brooke foram para a Itália, apesar de tudo. Arriscado, não?... Se o pior acontecer, e esperamos que não aconteça, disseram que alugariam um avião... O que me divertiu foi o velho Streatfield, procurando aquela coisa no bolso. Gosto que um homem seja natural, e não como se representasse sempre... E aquelas vozes nos arbustos... Oráculos? Está se referindo aos gregos? Se não for falta de respeito, gostaria de saber se os oráculos não foram antecessores da nossa própria religião. O quê? Solas de crepe? São muito práticas... Duram muito mais e protegem os pés... Mas eu estava dizendo: a fé cristã pode se adaptar? Em tempos como os de hoje... Ninguém vai à igreja em Larting... Há os cães, há os filmes... Esquisito, me contaram que a ciência está, por assim dizer, tornando as coisas mais espirituais... me disseram que a última novidade é que nada é sólido... Olhe, ali, a gente pode ver a igreja através das árvores...
– Sr. Umphelby! Que prazer em vê-lo! Venha jantar conosco... Não, ai de mim, estamos voltando para Londres. Sessão do Parlamento... Eu estava mesmo contando que os Brooke foram para a Itália. Viram o vulcão, disseram que é impressionante quando entra em erupção... Tiveram sorte. Concordo... As coisas parecem piores do que nunca no continente. E, se pretendem nos invadir, a Mancha não vai nos proteger... Aqueles aviões, só de pensar a gente treme... Não, achei fragmentado

demais. Por exemplo, o idiota. Será que ela quis se referir a alguma coisa oculta, o inconsciente, como agora se diz? E por que ficar sempre falando em sexo? É verdade, admito que nisso ainda somos selvagens. Aquelas mulheres de unhas vermelhas. E as roupas extravagantes, o que significam? A permanência do elemento selvagem, suponho... O sino está tocando. Dim-dom--dim... É um sino velho e rachado... E aqueles espelhos! Refletindo nossa imagem... Achei realmente cruel. As pessoas se sentem tão ridículas quando as pegam desprevenidas... La vai o sr. Streatfield, certamente para o ofício de vésperas. É preciso que ele se apresse, ou não terá tempo nem de mudar de roupa... Ele disse que ela queria dizer que todos nós representamos papéis. Sim, mas em que peça e de que autor? Ah, eis a questão! E se ficamos assim cheios de dúvidas, a peça não terá sido um fracasso? Eu gosto é de ter certeza de que entendi tudo quando vou ao teatro... Ou quem sabe o que ela queria dizer... Dim-dom--dim... e que, se não chegamos logo a uma conclusão, e você pensa de uma forma e eu de outra, ainda que pensando diferentemente, um dia pensaremos a mesma coisa?

– Aqui está o bom sr. Carfax... Quer uma carona, se não se importa de ficar meio apertado? Estamos comentando a peça, sr. Carfax. Os espelhos... significavam que a imagem refletida é um sonho? E a música, Bach, Handel, ou um desconhecido, era a verdade? Ou o inverso?

– Santo Deus, que confusão! Parece que ninguém consegue distinguir os carros... Por isso tenho um mascote no meu, um macaquinho... Mas não consigo vê-lo... Enquanto esperamos, conte-me o que sentiu quando caiu aquela chuvarada: alguém chorando por todos nós? Há um poema: Lágrimas, lágrimas, lágrimas, é assim que começa. E continua: Oh! o oceano se derrama, mas não me lembro do resto.

– Quando o sr. Streatfield disse: Um só espírito anima o todo... Os aviões o interromperam. Isso é que é ruim nas representações ao ar livre... A não ser, claro, que essa tenha sido a intenção da outra... Deus do céu, o estacionamento não é exatamente o que se chamaria de adequado... Eu não teria esperado tantos Hispano-Suizas... Este é um Rolls... Aquele, um Bentley... Aquele outro, o novo modelo da Ford... Voltando ao nosso assunto, o significado da peça... as máquinas são as forças demoníacas, ou introduzem uma dissonância... Dim-dom-dim... através da qual chegamos ao último... Dim-dom... Aqui está o carro com o macaquinho... Entre... Adeus, sra. Parker... Telefone! Da próxima vez que viermos, não esqueça... Da próxima vez... próxima vez...

As rodas rangeram no cascalho. Os carros partiram. O gramofone gargarejava:

Unidade... Dispersão. Gargarejava: *Un... Dis...*

Até que por fim se calou.

* * *

O pequeno grupo que se reunira para o lanche permaneceu no terraço. Os peregrinos tinham tratado uma trilha, andando na relva. O gramado, portanto, precisaria ser consertado. E amanhã o telefone tocaria: "Por acaso esqueci aí minha bolsa? Um par de óculos num estojo de couro vermelho? Um brochezinho velho, sem valor para ninguém senão para mim?". Amanhã o telefone começaria a tocar.

O sr. Oliver disse:

– Cara senhora – e, tomando na sua a mão enluvada da sra. Manresa, apertou-a, como para dizer: "Agora a senhora me rouba o que antes me deu".

Ele gostaria de segurar por mais um instante aquela mão com suas esmeraldas e rubis, extraídos do solo pelo magro Ralph Manresa nos seus primeiros tempos. Infelizmente, porém, a luz do entardecer não a favorecia; sua maquilagem parecia borrada, espalhada sem habilidade. Ele largou sua mão, e ela lhe enviou uma piscadela maliciosa, como a dizer, mas o final da frase foi cortado. Pois ela virou-se no momento em que Giles avançou um passo; e a leve brisa que o meteorologista previra fez com que suas saias ondulassem, semelhante a uma deusa, e lá se foi ela, robusta, abundante, como se escravas acorrentadas numa guirlanda de flores seguissem seus passos.

Todos se retiraram, dispersaram-se; ele ficou sozinho, com a cinza fria, sem brilho, na lareira. Como exprimir o peso em seu coração, a efusão em suas veias, enquanto a sra. Manresa se afastava, seguida por Giles? A partida dessa mulher espantosa, toda sensação, estraçalhou o recheio da boneca e fez com que de seu coração se derramasse aquela golfada de serragem!

O velho emitiu um som gutural e virou-se para a direita.

Era preciso retomar o passo inseguro, aos tropeços, pois a dança acabara. Perambulou solitário entre as árvores. Fora ali, cedo naquela manhã, que ele destruíra o mundo do pequeno George. Saltara de trás da árvore com sua máscara feita de jornal, e a criança pusera-se a chorar.

Um pouco mais adiante, na depressão do terreno junto ao lago dos nenúfares, os atores tiravam as roupas. Podia vê-los através dos ramos, em seus coletes e calças, desenganchando-se, desabotoando-se, agachados, enfiando os trajes em maletinhas baratas, as espadas de prata, as barbas e as esmeraldas pelo chão na relva. A srta. La Trobe, de casaco e saia – curta demais, pois tinha pernas grossas –, lutava com as pregas de uma crinolina. Era preciso respeitar as convenções, por isso parou junto do lago. A água estagnada por cima da lama parecia negra.

Aparecendo atrás dele, Lucy indagou:

– Não devíamos agradecer a ela? – e deu-lhe uma batidinha no braço.

Como a religião a tornava insensível! As nuvens de incenso obscureciam o coração humano. Rodando apenas a superfície, ela ignorava a batalha que se travava na lama do fundo. Depois que a srta. La Trobe fora atormentada pela interpretação do reverendo, pelas deformações e mutilações dos atores...

– Lucy, ela não quer nossa gratidão – resmungou ele. O que ela queria, como esta carpa (algo se movia nas águas), era a escuridão da lama; e uísque e soda para beber num bar; e palavras rudes descendo como larvas pelas águas. – Agradeça aos atores, e não à autora – disse ele – E a nós mesmos, que formamos a plateia.

Olhou por cima do ombro. A velha dama, pré-histórica, estava sendo empurrada na cadeira de rodas por um criado. Ele a levou por baixo do arco. Os gramados estavam desertos. A linha do telhado, as chaminés eretas, destacavam-se rubras e nítidas contra o azul da tarde. A casa emergia, a casa que havia desaparecido de seu pensamento. Sentia-se contente por tudo aquilo ter acabado – a confusão, o alarido, o ruge e os anéis. Debruçou-se e colheu uma peônia que perdera as pétalas. A solidão retomara. E também a razão, e o jornal à luz do abajur... Mas onde estava o seu cão? Acorrentado num canil? As veias de suas têmporas incharam de raiva.

Assobiou. Eis, libertado por Candish, o cão, disparando pelo gramado, um floco de espuma nas narinas.

Lucy ainda olhava fixamente o pequeno lago.

– Tudo desapareceu debaixo das folhas – murmurou.

Os peixes tinham se afastado, assustados pelas sombras que passavam. Lucy olhava fixamente a água. E acariciava de leve o crucifixo. Mas seus olhos continuavam a perscrutar a água, atrás dos peixes. Os nenúfares fechavam-se, os vermelhos, os brancos, cada um na bandeja de suas folhas. Acima, o ar farfalhava; abaixo, estagnava a água. Ela se achava entre aqueles dois fluidos, acariciando sua cruz. A fé exigia horas e horas passadas de joelhos na madrugada. Não raro, um encanto para os olhos inquietos a seduzia – um raio de sol, uma sombra. Agora, a folha denteada nos cantos sugeria, pelos contornos, a Europa. Havia outras folhas. Ela deixou esvoaçar o olhar pela superfície, batizando as folhas de Índia, África, América. Ilhas de segurança, espessas e lustrosas.

— Bart — disse. Queria perguntar algo sobre a libélula. — O fio azul não cairia se o rompêssemos aqui, depois ali? — Bart, porém, já entrara em casa.

Então algo se moveu na água: seu peixe favorito; com a cauda em forma de leque. O dourado seguiu atrás. Depois, ela viu um relâmpago de prata — a carpa grande, que raramente subia a superfície. Os peixes deslizavam, entrando e saindo das hastes das plantas, prateadas, cor-de-rosa, dourados. Manchados, listrados, rajados.

— Nós mesmos — murmurou ela.

E, encontrando na água cinzenta um lume de fé, ficou a seguir com os olhos, esperançosa e sem raciocinar, os peixes rajados, manchados, pintalgados, descobrindo, graças a essa visão, beleza, força e glória em nós mesmos.

Os peixes têm fé, ponderou. Confiam em nós porque nunca os apanhamos. Mas o irmão replicaria: "Isso é avidez". "É a beleza", ela protestaria. "Sexo", responderia Bart. "E quem torna o sexo sensível à beleza?", argumentaria ela. Ele daria de ombros: Quem? Por quê? Reduzida ao silêncio, voltou a sua visão — a beleza e a bondade; o mar em que flutuamos. Em geral, somos impermeáveis; de vez em quando, porém, o barco pode vazar...

Bart carregara a tocha da razão até sair da escuridão da caverna. Mas ela, ajoelhada todas as manhãs, protegia suas visões. Todas as noites abria a janela e contemplava as folhas recortadas contra o céu. Depois, adormecia. Até que as fitas esparsas das vozes dos pássaros a despertassem outra vez.

Os peixes afloraram na superfície. Ela não tinha nada para lhes dar... nem uma migalha de pão.

— Esperem, queridos — disse-lhes.

Iria com seus passinhos curtos até em casa e pediria um biscoito à sra. Sands. Uma sombra cobriu a água. Os peixes fugiram, rápidos como setas. Que aborrecimento! Quem era? Deus do céu, o jovem de cujo nome se esquecera; nem Jones, nem Hodge...

Dodge deixara a sra. Manresa abruptamente. Procurara a sra. Swithin por todo o jardim. Agora a encontrara, e ela esquecera o seu nome.

– Sou William – disse. Ela reviveu, como uma donzela de branco num jardim, entre rosas, correndo ao encontro dele... e não se tratava de um papel representado.

– Eu ia buscar um biscoito... Não, eu ia agradecer aos atores – gaguejou, corando virginalmente. Lembrou-se então do irmão:

– Meu irmão disse que não devemos agradecer à autora – acrescentou –, a srta. La Trobe.

Era sempre "meu irmão... meu irmão" subindo das profundezas do lago de nenúfares.

Quanto aos atores, Hammond acabara de retirar as suíças falsas e agora abotoava o casaco. Uma vez inserida a corrente entre os botões, partiu.

Apenas a srta. La Trobe ficou, debruçada sobre alguma coisa na relva.

– A peça acabou – disse ele. – Os atores foram embora.

– Meu irmão diz que não devemos agradecer à autora – repetiu a sra. Swithin, olhando em direção a srta. La Trobe.

– Pois então agradeço à senhora – replicou ele, pegando a mão de Lucy e apertando-a. Pesando bem as coisas, era muito provável que nunca mais se encontrariam de novo.

* * *

Os sinos da igreja sempre paravam, deixando a gente com vontade de pedir: não haverá mais um som? A meio caminho sobre o gramado, Isa ficou na escuta... Dim-dom-dim... Não haveria outra nota. A congregação estava reunida, de joelhos, na igreja. O ofício começava. A peça terminara. Andorinhas roçavam a relva que servira de palco.

Lá estava Dodge, que sabia ler nos lábios, seu par, seu cúmplice, que, como ela, procurava rostos ocultos. Ele apressava o passo para juntar-se à sra. Manresa, que seguira na frente com Giles – "pai dos meus filhos", murmurou Isa. Sua carne vibrava, a carne quente, tramada de nervos, agora acesa, logo depois escura como o próprio corpo. Para conseguir curar a ferida do dardo envenenado, procurou o rosto que buscara o dia todo. Espiando, espreitando, por sobre os ombros, por entre as costas dos outros, ela procurara o homem de cinza. Ele lhe oferecera uma xícara de chá durante um jogo de tênis; e, uma vez, estendera-lhe uma raquete. Era tudo. Mas, lamentava-se ela, por que não nos encontramos antes que o salmão tivesse pulado para fora da água como um lingote de prata? Por que não nos encontramos?, lamentava-se ela. E quando seu filhinho chegara, abrindo caminho entre todas aquelas pessoas no celeiro, ela murmurara: "Se fosse filho dele...". Ao passar, arrancou a folha amarga que crescia também fora da janela do quarto das crianças. Barba-de-velho. Dilacerando folhas em vez de palavras, porque não cresciam palavras naquele lugar, nem rosas, ela passou perto de seu cúmplice, seu semelhante, o que procurava rostos ocultos.

Parece Vênus atada a sua presa, pensou ele. E seguiu atrás dela.

Na dobra do caminho, Giles estava preso à sra. Manresa, parada na porta do seu carro. Giles tinha o pé na beira do estribo. Perceberiam as flechas prestes a feri-los?

– Entre, Bill – disse a sra. Manresa em tom provocante.

As rodas rangeram no cascalho e o carro partiu.

* * *

Por fim, a srta. La Trobe pôde erguer-se de sua posição inclinada. Ela a prolongara para não receber atenção de ninguém. Os sinos pararam; a plateia se fora; os atores também. Agora, ela podia endireitar as costas. Abrir os braços. Dizer ao mundo: Vocês receberam meu presente! A glória a possuíra por um momento... Mas o que dera nela? Uma nuvem fundindo-se com outras nuvens no horizonte. O triunfo estava na doação. E o triunfo se esfumava. Sua dádiva não significava nada. Se eles tivessem compreendido o seu significado; se tivessem sabido seus papéis; se as pérolas tivessem sido reais, e o dinheiro ilimitado... teria sido uma dádiva melhor. Agora, fora-se, como tantas outras.

– Um fracasso – gemeu ela e abaixou-se para guardar os discos.

Depois, subitamente, os estorninhos atacaram a árvore atrás da qual ela se ocultava. Lançaram-se contra ela como pedras aladas. A árvore toda vibrava com o zumbido que faziam, como se cada pássaro puxasse um fio de arame. Um zumbido saía da árvore, que sibilava e vibrava, enegrecida de pássaros. A árvore tornou-se uma rapsódia, uma trêmula cacofonia, um êxtase de zumbidos e frêmitos, com ramos, folhas, aves silabando dissonantes – vida, vida, vida – sem comedimento algum, devorando a árvore sem cessar. Depois, partiram em turbilhão!

O que os interrompera? A velha sra. Chalmers, arrastando-se pela relva com um ramo de flores – pareciam cravos – para colocar no vaso sobre a sepultura do marido. No inverno, trazia hera ou azevinho. Fora ela quem assustara os estorninhos.

A srta. La Trobe fechou à chave e pôs no ombro a pesada caixa de discos. Atravessou o terraço e parou junto da árvore onde os estorninhos se haviam reunido. Fora ali que ela sofrera triunfo, humilhação, êxtase, desespero... por nada os saltos de seus sapatos tinham cavado um buraco na grama.

Escurecia. Como não houvesse nuvens no céu, o azul era mais azul, o verde mais verde. Já não se via paisagem nenhuma – nem Folly, nem a torre da abadia de Bolney. Era tudo apenas terra, nenhuma terra em particular. Depôs a caixa e ficou parada, olhando a terra. Então veio-lhe uma ideia.

– Eu deveria agrupá-los aqui – murmurou.

Seria meia-noite. Haveria duas personagens, meio escondidas por um rochedo. A cortina subiria. Quais seriam as primeiras palavras? Ela não encontrava as palavras. Mais uma vez ergueu sobre o ombro a pesada caixa e seguiu a passos largos pela relva. A casa dormia; um fio de fumaça engrossava-se diante das árvores. Estranho que, com todas aquelas flores incandescentes – lírios, rosas, cachos de flores brancas e arbustos de um verde inflamado –, a terra ainda fosse dura. Parecia que da terra subiam torrentes de águas verdes, submergindo-a. Ela afastou-se dessa praia e, erguendo a mão, procurou o ferrolho do portão de ferro da entrada.

Largaria a caixa na janela da cozinha, depois subiria até a taverna. Desde que rompera com a atriz que partilhara da sua cama e da sua bolsa, crescera nela a necessidade de beber. E o horror e o terror da solidão. Num dia desses subverteria... que leis da aldeia? Sobriedade? Castidade? Ou se apropriaria de algo que na verdade não lhe pertencia?

Na esquina, topou com a velha sra. Chalmers voltando da sepultura. A anciã baixou os olhos sobre as flores murchas que levava e fez de conta que não a via. As mulheres das casas com gerânios vermelhos sempre faziam isso. Ela era um pária. De alguma forma a natureza a excluíra da sua própria espécie. Ela rabiscara, porém, à margem do seu manuscrito: "Sou escrava da minha plateia".

Enfiou a caixa pela janela da cozinha e seguiu adiante, até que na esquina avistou a cortina vermelha na janela do bar. Ali encontraria abrigo, rumor de vozes, esquecimento. Baixou o trinco da porta da casa pública. Foi saudada pelo cheiro acre de cerveja velha e pelo rumor das vozes. Interromperam-se. Falavam da "Patroazinha", como a chamavam... Não importava. Sentou-se numa cadeira e, através da fumaça, contemplou uma grosseira pintura em vidro, representando uma vaca num estábulo, e também um galo e uma galinha. Levou o copo aos lábios. Bebeu. Ficou à escuta. Palavras monossilábicas enterravam-se na lama. Cochilou, dormitou. A lama tornou-se fértil. Palavras ergueram-se acima dos bois intoleravelmente obtusos que puxavam o arado pela lama. Palavras sem significado... Maravilhosas palavras.

O relógio ordinário tiquetaqueava; a fumaça obscurecia as pinturas. A fumaça adensava-se no céu de sua boca. A fumaça obscurecia as vestes cor de terra. Ela já não os via mais, mas mantinham-na ereta, sentada ali, as mãos nos quadris, diante do seu copo. Havia ali a colina à meia-noite; mais adiante, o rochedo; e duas figuras quase invisíveis. Súbito, a árvore foi invadida pelos estorninhos. Ela baixou o copo. E escutou as primeiras palavras.

* * *

Na baixada, em Pointz Hall, entre as árvores, arrumava-se a mesa na sala de jantar. Candish tirara as migalhas com sua escova curva; apanhara as pétalas e, por fim, deixara a família sozinha para que se comesse a sobremesa. A peça terminara, os estranhos haviam partido, estavam sozinhos agora – a família.

Contudo, a peça ainda pendia no céu da mente – distanciando-se, apagando-se, mas ainda presente. Mergulhando sua groselha no açúcar, a sra. Swithin contemplava a peça. E, levando a groselha à boca, disse:

– O que será que significava? – e acrescentou: – Os camponeses; os reis; o idiota e (ela engoliu) nós mesmos?

Todos contemplavam a peça; Isa, Giles e o sr. Oliver.

Naturalmente, cada um via algo diferente. Em breve estaria além do horizonte, reunindo-se a todas as outras peças. Segurando o charuto, o sr. Oliver disse:

– Foi ambiciosa demais. – E, acendendo o charuto, acrescentou: – Levando-se em conta os meios de que dispunha.

A peça afastava-se para juntar-se às outras nuvens; tornava-se invisível. Através da fumaça, Isa não via a peça, mas a plateia dispersando-se. Alguns de carro, outros de bicicleta; um portão abria-se. Um carro disparava pela entrada da mansão vermelha entre os campos de trigo. Ramos de acácia, pendendo baixos, raspavam pela capota do carro, que chegava coberto de pétalas.

— Os espelhos e as vozes nos arbustos — murmurou ela. — O que queriam dizer?

— Quando o sr. Streatfield pediu a ela que explicasse, recusou-se — disse a sra. Swithin.

Nesse momento, Giles ofereceu uma banana à esposa, a casca aberta em quatro partes revelando o cone branco. Ela não quis. Ele apagou o fósforo no prato, o fogo extinguiu-se com um leve sibilar no suco de groselha.

— Devíamos agradecer pelo tempo, que esteve perfeito — disse a sra. Swithin, dobrando o guardanapo —, exceto por aquela pancada de chuva.

Ela ergueu-se. Isa seguiu-a através do saguão até a sala grande.

Nunca fechavam as cortinas, senão quando ficava escuro demais, nem fechavam as janelas enquanto não estava frio demais. Por que esconder o dia antes que ele terminasse? As flores ainda apareciam iluminadas; os pássaros chilreavam. Muitas vezes podia-se ver mais à noite, quando não há interrupções, quando não se precisava encomendar peixe ou atender ao telefone. A sra. Swithin parou junto do grande quadro de Veneza — da escola de Canaletto. Possivelmente havia uma pequena figura no fundo da gôndola... Uma mulher com véus, ou um homem?

Pegando sua costura da mesa, Isa sentou-se na cadeira junto da janela, dobrando o joelho. Do abrigo da sala, contemplava a noite estival. Lucy retornou de sua viagem ao quadro e ficou parada em silêncio. O sol punha reflexos vermelhos nas lentes de seus óculos. Havia cintilações de prata em seu xale negro. Por um momento, ela pareceu alguma personagem trágica de outra peça de teatro.

Depois, disse com sua voz habitual:

– Neste ano conseguimos mais dinheiro do que no ano passado. Mas no ano passado choveu.

– Este ano, ano passado, ano que vem, nunca... – murmurou Isa. Sua mão ardia ao sol no peitoril da janela. A sra. Swithin pegou da mesa o seu tricô.

– Você entendeu o que ele disse? Sobre o fato de desempenharmos papéis diferentes, mas sermos a mesma coisa?

– Sim – respondeu Isa, e acrescentou: – Não. Era sim e não. Sim, sim, sim, e a maré avançava, invadindo tudo. Não, não, não, e a maré retrata-se. A velha botina apareceu entre algas secas e pedregulhos.

– Lascas, pedaços e fragmentos – citou o que lembrava da peça que aos poucos se esgarçava.

Lucy acabara de abrir a boca para responder e colocara a mão no crucifixo acariciando-o, quando os cavalheiros entraram. Ela emitiu um pequeno chilreio de boas-vindas. Afastou os pés para dar lugar. Na verdade, havia mais lugar do que o necessário e grandes poltronas com orelhas.

Sentaram-se, iluminados pelo sol que se punha. Os dois haviam mudado de roupa. Giles usava o casaco preto e a gravata branca das classes dos profissionais, que exigiam. Isa baixou o olhar para os pés dele; sapatos de verniz.

– Nosso representante, nosso porta-voz – disse com zombaria. Mas ele era extraordinariamente belo. – Pai dos meus filhos, a quem amo e odeio. – Amor e ódio... como a dilaceravam! Estava na hora de alguém inventar um enredo diferente, ou de o autor sair de trás dos arbustos...

Candish entrou. Trazia a segunda remessa da correspondência numa salva de prata. Havia cartas, contas e o jornal da manhã; o jornal que fazia esquecer o dia anterior. Como um peixe erguendo-se em busca de uma migalha de pão, Bartholomew pegou depressa o jornal. Giles cortou o envelope do que parecia ser um documento. Lucy leu os rabiscos de uma velha amiga, de Scarborough. Para Isa, havia somente contas.

Os sons habituais reverberavam pela concha: Sands atiçando o fogo; Candish alimentando a caldeira. Isa lera suas contas. Sentada na concha da sala, observava a peça de teatro que se extinguia. As flores relampejaram e se apagaram. Era o momento exato de sua cintilação.

O jornal farfalhava. O sogro o largara. Daladier conseguira fixar o valor do franco. A moça fora festejar com o soldado. E gritara. E batera nele... E depois?

Quando Isa contemplou as flores outra vez, tinham-se apagado definitivamente.

Bartholomew acendeu o abajur para ler. O círculo de leitores se iluminou, cada um preso, um papel branco. Ali, no vazio do campo aquecido pelo sol, congregavam-se o gafanhoto, a formiga, o besouro, rolando bolinhas de terra dura por entre a palha cintilante. Naquele rosado recanto aquecido pelo sol, Bartholomew, Giles e Lucy esfregavam, mordiscavam, esmagavam migalhas. Isa observava-os.

Depois o jornal caiu.

– Terminou? – perguntou Giles, tirando-o de seu pai. O velho entregou o jornal. Ficou aquecendo-se na claridade. Uma das mãos, acariciando o cão, levantava pregas da pele dele em direção ao pescoço.

O relógio tiquetaqueava. A casa emitia pequenos estalidos, como se estivesse muito seca, muito frágil. A mão de Isa no peitoril da janela esfriou de repente. Sombras tinham obscurecido o jardim. As rosas recolhiam-se para a noite.

Dobrando sua carta, a sra. Swithin murmurou para Isa:

– Olhei e vi os bebês dormindo profundamente debaixo das rosas de papel.

– Que sobraram da festa de Coroação – murmurou Bartholomew, meio adormecido.

– Não precisávamos ter tido tanto incômodo com a decoração este ano – acrescentou Lucy –, pois não choveu.

– Este ano, ano passado, próximo ano, nunca – murmurou Isa.

– Latoeiro, alfaiate, soldado, marinheiro – ecoou Bartholomew. Falava dormindo.

Lucy enfiou a carta no envelope. Era hora de ler seu compêndio de História. Mas não sabia mais onde estava... Virava as páginas, olhando as figuras – mamutes, mastodontes, aves pré-históricas. Depois encontrou a página onde parara. As trevas se adensavam. A brisa soprou dentro da sala. Com um pequeno calafrio, a sra. Swithin ajeitou o xale nos ombros. Estava entretida demais com História para pedir que cerrassem a janela.

– Naquele tempo – lia – a Inglaterra era um pantanal. Densas florestas cobriam a terra. Pássaros cantavam no topo de seus ramos entrelaçados.

O grande retângulo da janela aberta mostrava somente o céu. Não havia mais luz; o que sobrava era severo, frio como pedra. Sombras baixavam. Sombras rastejavam sobre a testa alta de Bartholomew, sobre seu grande nariz. Ele parecia uma árvore sem folhas, espectral, em sua imensa poltrona. Sua pele estremecia como a dos cães. Ergueu-se, sacudiu-se, o olhar preso em nada, e saiu da sala com passos duros. Ouviram as patas do cão no tapete atrás dele.

Lucy virou a página depressa, com ar de culpa, como uma criança que será mandada para a cama antes de terminar o capítulo.

– O homem pré-histórico – lia – meio homem, meio macaco, ergueu-se de sua posição semicurvada e levantou grandes pedras.

Ela enfiou entre as páginas a carta de Scarborough, para marcar o fim do capítulo, ergueu-se, sorriu, e na ponta dos pés saiu silenciosamente da sala.

Os velhos tinham subido para dormir. Giles dobrou o jornal e apagou a luz. Sozinhos pela primeira vez durante o dia, ele e Isa estavam calados. Sozinhos, a hostilidade se revelava; também o amor. Antes de dormir, tinham de lutar; depois de lutar, haveriam de abraçar-se. Talvez uma nova vida nascesse desse abraço. Mas primeiro era preciso que lutassem como a raposa macho com sua fêmea, no coração das trevas, nos campos noturnos. Isa deixou cair sua costura. As poltronas com orelhas pareciam imensas. Giles também. Isa também, diante da janela, que agora se abria toda para um céu incolor. A casa já não servia de abrigo. A noite era a mesma que existira antes de se construírem estradas ou casas. Era a noite que os moradores das cavernas contemplavam de algum penhasco, entre rochedos.

Depois, levantou-se a cortina do palco. E começaram a falar.

grupo novo século

Compartilhando propósitos e conectando pessoas
Visite nosso site e fique por dentro dos nossos lançamentos:
www.novoseculo.com.br

‹ns

- facebook/novoseculoeditora
- @novoseculoeditora
- @NovoSeculo
- novo século editora

gruponovoseculo.com.br

Edição: 2
Fonte: IBM Plex Serif